神
生
められた俺は、
武を極める
2
武神伝
BUSHINDEN
I was sacrificed, but I became a disciple of the God and mastered martial arts.
JN032451

Contents

目次

●第一章 ―― ○○五
●第二章 ―― ○四八
●第三章 ―― ○六六
●第四章 ―― 一三七
●第五章 ―― 一八二
●第六章 ―― 二一六
●第七章 ―― 二六三
●あとがき ―― 二八三

2

BUSHINDEN

I was sacrificed, but I became a disciple of the God and mastered martial arts.

●その剛拳は鬼をも砕く

「――『覇天拳』！」

その瞬間、リーズの眼前に存在していた、すべてのアンデッドが消し飛んだ。

「刀真ッ！」

「――すまない、遅くなった」

絶体絶命の窮地に立たされたリーズを救うべく――ついに刀真が参戦するのだった。

武神伝

生贄に捧げられた俺は、神に拾われ武を極める2

美紅

ファンタジア文庫

3391

口絵・本文イラスト　かかげ

生贄に捧げられた俺は、
神に拾われ武を極める
武神伝
BUSHINDEN
I was sacrificed, but I became a disciple
of the God and mastered martial arts.
2

第一章

赤色の空に、黒い大地。

――――【魔界】。

「グゲェエエエ！」

「カロロロロ……」

あちこちから聞こえるのは、獰猛(どうもう)な魔物の声。

何もかも、人間の暮らす世界――――【正界】とは違う、異質な世界。

この魔界こそ、魔族が暮らす場所だった。

そんな魔界のとある屋敷(やしき)の一室に、一人の魔族が悠然と座っていた。

「……」

まるで貴族のように着飾った、白銀の髪を持つ魔族の男。

月のような金色の瞳と、青白い肌には赤い光線が走っている。

この魔族こそが、屋敷の主であるルファス・ドルフェンだった。

質のいい机の上に置かれた水晶を前に、ルファスは目を閉じていると、しばらくして水晶が光り始めた。

やがて光が収まると、まるで水晶を囲うように、数人の魔族の姿が映像として浮かび上がる。

『――ルファス様』

「……」

魔族の一人の声掛けに、ルファスは静かに目を開いた。

そして、映像の魔族たちを見渡し、微かに眉を顰める。

「……グレンはどうした」

ルファスの問いに、魔族たちは答えることができない。

今行われているのは、正界の各地に散らばった、ルファスの部下である魔族からの定期連絡だった。

今まで一度も部下である魔族たちからの連絡が遅れたことはない。

とはいえ、少し遅れる程度であれば、ルファスもそう気にすることはなかった。

　しかし、今遅れている魔族がグレンとなると、話は変わってくる。

　それは、グレンが魔族の天敵である、リーズを追っていたからだった。

　すると、映像の中の魔族の一人が声を上げる。

『た、大変申し訳ございません。我々もヤツの動向は……』

『ルファス様、いかがいたしましょう……？』

「……しばし待とう」

　魔族たちは困惑しつつも、ルファスの言葉通り、しばらくの間グレンがやって来るのを待つことに。

　しかし、いくら待てども、グレンがやって来ることはなかった。

　そして、ルファスは険しい表情を浮かべた。

「……消されたか」

『なっ⁉』

　静かなルファスの呟(つぶや)きに、魔族たちは息をのむ。

『ま、まさか、我々の存在がバレたのでしょうか？』

『いや、バレたとて、相手を消せば済む話……もしや、正界の雑魚(ざこ)どもに負けたとでも言うのか？』

魔族たちが思い思いに口にする中、ルファスは静かに考察を続ける。

「（……グレンの話では、エレメンティアの末裔は海に飛び込んだと言っていた。しかもその海は海流も激しく、凶悪な魔物も無数に生息しているという。そんな場所に飛び込み、生き残れる可能性は限りなく低いだろう。だが、万が一生きていたとしたら……？）」

ますます険しい表情になるルファスだったが、すぐに首を振る。

「（……いや、陽ノ国を担当しているモルズの話では、エレメンティアの末裔が飛び込んだ海域は、本当に危険らしい。まず生きていることはないだろう。それに、生きていたとしても、エレメンティアの末裔がグレンを倒せるとは思えん。ヤツが我らにとって危険なのは事実だが、グレンからの報告だと、現状ヤツにそこまでの力はないはずだ。となると、何らかの拍子に我らの存在が正界にバレ、実力者に狙われたか……？）」

色々推測するも、ルファスは答えを見出すことができなかった。

「我らの存在が明るみに出た気配は？」

『いえ、今のところ、そのような話や動きは察知しておりません』

すると、魔族の一人であり、陽ノ国を担当しているモルズが口を開く。

『ルファス様。私が直接、アールスト王国で調査してまいりましょうか？』

「……いや、グレンが消えた今、下手に動くのは危険だ」

もし万が一、本当にグレンをきっかけに魔族の存在が表に出たのだとしたら、魔族の調査が行われている可能性が非常に高い。

「今はアールスト王国だけかもしれんが、陽ノ国でも魔族の調査が始まるやもしれん。業腹だが、現状は身を隠し、様子を窺うしかない」

『承知しました』

モルズが頭を下げたのを確認すると、ルファスは続けて指令を下す。

「他の者たちも同様だ。しばらくは身を隠すことに専念しろ。ただし、アールスト王国から遠い位置にいる者どもは、細心の注意を払いつつ、できるならばアールスト王国についての情報を集めろ。万が一、我らの存在が明るみに出ていれば、すぐにでも情報が回って来るだろう。逆にアールスト王国に近い者は、より注意して身を隠せ。以上だ、戻れ」

『はっ！』

ルファスの合図と共に、魔族たちは一斉に連絡を終了した。

それを確認すると、ルファスは椅子に深く腰掛け、天を仰ぐ。

「……面倒なことになったな。だが、我らが【大業】のためにも、止まるわけにはいかん」

もし仮に、グレンが自身の失敗を隠さず、ルファスに状況を伝えていれば話は変わっていただろう。

だが、グレンは自身の保身と、己の実力を過信した結果、その機会は永遠に失われたのだ。

「……万が一に備え、他の計画も早く進めねばな……」

――こうしてリーズたちの知らぬ場所で、一時的に魔族からの脅威が遠ざかるのだった。

＊＊＊

俺――刀真がリーズと共にレストラルを旅立って、早三日が経過していた。

リーズの話では、後二日ほどで王都に到着するらしい。

今回は徒歩での旅だったが、アールスト王国……というより、この大陸全域では、馬車による移動が一般的だった。

陽ノ国では馬に乗ることはあれど、馬が車を引き、その車に人を乗せて運ぶということはなかったため、話を聞いた時は驚いたものだ。

ただ運悪く、俺たちが旅立つ時に、王都へ向かう馬車がなかったため、徒歩を選択した。

もちろん、馬車を待ってもよかっただろうが、少しでもこの大陸の風土に慣れておくため、何より魔族に追われている以上、馬車に乗れば、他の客に迷惑をかける心配もあったため、徒歩の旅でよかったと思っている。

馬車の行き先は決まっているが、徒歩で移動すれば、他の場所にも臨機応変に移動できるため、行き先を撹乱することも可能だからな。

こうして徒歩による旅を始めたわけだが、リーズは元々一人で活動してきたため、野宿に関して何も問題ないことと、俺も【極魔島】で生活していた経験から、特に不都合なく過ごすことができた。

食事を含めた野宿の道具も、リーズのマジックバッグに入っており、俺自身も背嚢と道具を準備していたからだ。レストラルでは材料が手に入らなかったため作らなかったが、『兵糧丸』を用意できればもう少し背嚢やマジックバッグの中身を空けることができるだろう。

一番いいのは俺もマジックバッグを手に入れることだが……リーズの話では、これから向かう王都にあるようなダンジョンで、運がよければ手に入るそうだ。頑張ろう。

このように、一見順調のように見える旅路だったが、道中で何度か魔物と戦うこともあった。

そして現在も、魔物と戦闘中である。

「グギャ！」

「グギャギャ！」

俺たちの前に現れたのは、かつて【極魔島】で俺を襲った、堕飢に似ている、人型の魔物だった。

その魔物は薄暗い緑色の肌に、腰には何らかの動物の皮を無造作に巻き付け、手には棍棒が握られている。

この子供くらいの背丈の魔物は【ゴブリン】と言うらしく、リーズの話では、この大陸ではごく一般的な魔物らしい。

俺はレストラルにいる頃に一度も受けなかったが、ギルドの討伐依頼の筆頭は、このゴブリンだそうだ。

そんなゴブリンだが、群れる習性があるようで、今も俺たちは複数のゴブリンに襲われている。

「フッ！」

俺は剣指を作ると、目の前に迫ったゴブリンの首をはね飛ばした。

何度か戦闘したところ、その実力は黒位……つまり、E級程度だということも把握しており、未熟な俺が拳を使って倒すと、勢い余って爆散させてしまうため、こうして剣指に闘気を纏わせ、急所を突くことで殲滅する方法を取るようにしている。

　こうしてある程度周囲のゴブリンを殲滅したところで、一緒に戦っているリーズに目を向けた。

「やあっ！」

　すると、拳を握り、ゴブリンを殴り倒しているリーズの姿が目に映る。

　殴ったゴブリンの頭蓋を破裂させたり、胴体を貫通させたりすることで、確実に仕留めていた。

「……いい調子だな」

　次々とゴブリンを殴り倒すリーズを見て、俺は満足していた。

　そんな俺の目には、リーズの体内に流れる魔力の流れが見えている。

　そしてその魔力の流れは、俺のよく知る【覇天拳】の魔力の流れと同じだった。

　俺が適度に補助をしつつ、リーズの様子を見ていると、ついにリーズは最後の一体を倒し終えた。

「はぁ……はぁ……どうかしら？」

　息を整えながらそう口にするリーズに、俺は笑みを浮かべる。

「上出来だ。筋がいいな」

「ありがとう……刀真のおかげよ」

「いや、リーズが努力した結果だ」

――本来リーズは魔法使いであり、戦闘方法も魔法が主体である。

故に、リーズがいつも通り魔法で戦えば、ゴブリン程度にここまで苦労することはない。

だがリーズからとある提案を受けた結果、今のようにリーズが近接戦をするようになったのだ。

その結果、慣れない戦いをするせいで、ゴブリン相手とはいえ、疲れた様子を見せていた。

とはいえ、慣れていない中でここまで戦えれば十分だろう。

「それにしても……俺に戦闘技術を教えてほしいと言われた時は驚いたな」

「……言ったでしょ？　ベラさんとの特訓で、魔法だけじゃダメだって思い知ったのよ」

そう、リーズがこうして近接戦をしていたわけは、自身の弱点を克服するためであり、そのために俺から戦闘の技術を学びたいと言ってきたのである。

苦笑いを浮かべるリーズを前に、俺はその時のことを思い出した――。

＊＊＊

「――刀真。私に、貴方の技術を教えて」

レストラルを旅立ってすぐ、リーズは俺にそう告げた。

まさか、そんなことを言われると思っていなかった俺は、思わず聞き返した。

「俺の技術？」

「そうよ。貴方は私と違って、素晴らしい近接戦の技術を持っているわ。その技を、私に教えてほしいのよ」

「何故だ？　すでに君には強力な魔法があるだろう？」

誰とも分からぬ者に、師匠たちから学んだ技術を教えるつもりはないが、仲間であるリーズならば話は違う。

とはいえ、リーズには魔法があった。

しかも、リーズの魔法は魔族に対して特効で、かつ、この間の一件で三節以下の魔法は無詠唱で行使することができるようになっていた。

これだけでも十分だと俺は思うのだが、どうやらリーズは違うらしい。

「魔法もまだまだだけど、私が強くなるためには、体を強くする必要があるの。……この前、ギルドマスターのベラさんと特訓をした際、それを強く実感したわ。いくら魔法が強くても、それを当てられなきゃ意味がないし、動けなきゃ、ただの的と一緒なのよ」

リーズの言う通り、魔法は強力だが、その魔法を唱える前に倒されてしまえば意味がない。

とはいえ、俺の知る限り、魔法を専門で扱う者は、前衛……つまり、俺のように前に出て戦う者に護（まも）られながら、魔法を使うのが一般的なはずだ。

陽ノ国（ひのくに）にも魔法を専門としていた皇室専属の者たちがおり、彼らが前に出て戦うなど、聞いたことがなかった。

それはこの大陸でも同じだろう。

そんなことを考えていると、リーズは真剣な瞳を向けてくる。

「……前とは違って、今は刀真がいるからこそ、魔法に集中するのも正解だと思う。でも、私も動けるようになれば、もっと可能性が広がると思うの」

「ふむ……」

「もちろん、無茶なお願いだってのは分かってる。だって私が求めてるのは、単なる型だけじゃなくて【魔力運用法】……つまり、その流派の秘伝の技術だから。各流派にとって、大切な技術を教えてほしいなんて、厚かましいお願いだって分かってる。もちろんタダでとは――」

「分かった」

「……え？」

俺が頷くと、リーズは目を見開いた。

「ほ、本当にいいの？」

リーズが懸念しているのは、俺が勝手に流派の技術……魔力の運用法を教えていいのかどうかということだろう。

魔力の運用法とは、それこそ無限に存在する。

心臓を中心とし、そこから各細胞に張り巡らされた魔脈のどの道筋を、どの順序で辿って全身に行き渡らせるかによって、効果が大きく変わるのだ。

さらにその魔力の流れに合致する動きを突き詰め、体系化したものこそ、武術の流派である。

それだけ研究を重ね、体系化したからこそ、魔力運用法や型など、その流派の技術は宝なのだ。

故に、対価なく教えてもらえるようなものではない。

「まあ、本来はそれぞれの門派の師匠に、技術の伝承をしていいかのお伺いを立てる必要があるだろうな」

「それなら……」

「だが、俺ならば問題ない」

「！」

俺の言葉に、リーズは目を見開いた。

師匠からは、武術を学ぶには誰かに弟子入りするか、その流派に入門するのがほとんどだと言われていた。

よくよく考えると、俺は運よくアールスト王国剣術の稽古の様子を見学させてもらえたが、これはかなり特殊な例だろう。

このアールスト王国において、アールスト王国剣術は一般的なものであり、その型も複雑なものではなく、市民にも広く伝わり、親しまれているものだ。レストラルの兵士たちの隊長から聞いた話だと、健康目的で学んでいる者もいるらしい。

それほどまでに門戸の広い武術が、アールスト王国剣術だった。

そんな中、レストラルで俺は型と魔力運用法を直接学んだのではなく、見取り稽古で覚えたのだ。

ただ、アールスト王国剣術における、より正確な……細胞単位での魔力の流れや、闘気の扱い方は、流石（さすが）に直接指導を受けなければ分からない。

俺があの稽古で学べたのは、あくまでアールスト王国剣術の大まかな魔力の流れと、型だけだ。

完璧に身に付けたと言うには、細胞一つ一つの魔脈の正確な位置に魔力を流す必要があり、そのために師匠という存在がいて、その方々から正しい魔力の流れを学ぶのだ。

何より、武術における最も重要な呪文……【武伝呪文】は知りもしない。

武伝呪文とは、その流派の魔力運用法、闘気運用法、型のすべてを学ぶことで初めて効果を発揮する呪文だ。

各流派の魔力や闘気の流れが、体内で一種の魔法陣となり、その魔法陣を起動するためにこの呪文が必要なのである。

この武伝呪文を知らなければ、たとえ魔力、闘気の運用と、型が完璧であっても、その威力や効果は半分も発揮できない。

故に、すべての技術と、この武伝呪文を教わることで、初めてその流派を完璧に伝承したことになるのだ。

「俺は師匠から皆伝を受けている。故に、技術を伝承するかどうかは、俺が決めることができるわけだ」

俺も【覇天拳】の師匠――テンリン師匠から、武伝呪文は教わっている。つまり、免許皆伝を授けてもらった。つまり、弟子を取る資格を得たのだ。

さらに、もう一人の師匠である初代皇帝陛下――皇祖師匠との修行後、崩れ落ちた岩山の瓦礫（がれき）に刻まれていた『刀身一如（いちにょ）』という文字も、今思えば武伝呪文だったのだろう。あの呪文を口にしたことで、【降神一刀流（こうじんいっとうりゅう）】が体に確かに根付いたのを感じたからな。だからこそ、こちらも免許皆伝となったわけだ。

まあ、免許皆伝とはいえ、俺の技術はまだ未熟であり、精進が必要だがな。

ともかく、本来は武術というものの背景から、対価なくその流派の技術を学ぶのは難しかった。

リーズの話では、王都では様々な道場があるようなので、入門すれば学ぶことができるだろう。

師匠たちとは違い、こちらは入門に金子（きんす）がいるのだろうが……。

そんなことを考えつつ、俺は驚くリーズに続けた。

「仲間が強くなりたいと願うのなら、それを手伝うのが仲間だろう。もちろん、対価もいらない」

仲間であるリーズに教えるのなら、対価など必要ない。

何よりリーズなら、師匠の技術を教えても悪用しないと信じている。

俺の言葉を聞いたリーズは目を見開くと、優しく微笑んだ。

「ありがとう。でも、対価はきちんと払うわ」

「……リーズがそう言うのであれば……」

ここで拒否しても、リーズの負担になるだろう。

そう思っていると、リーズは苦笑いを浮かべた。

「まあ刀真には必要ないかもしれないけどね……」

「ん？　どういう意味だ？」

「私は刀真に……エレメンティア家に伝わる魔力運用法を教えようと思うの」

「は？」

予想していなかった言葉に、俺は目を見開いた。

「ま、待て！　それこそいいのか？　その口ぶりだと、家門の秘伝だろう？」

武術は流派ごとに道場などを作り、技術を教え、その流派の門徒を増やしていく。

それに対して、魔法使いの技術は、その一族のみに伝わる秘伝であることが多いと、師匠から聞いていた。

陽ノ国ではそんな話は聞いたことはなかったが、この大陸では、遥か昔……それこそ国という概念が生まれる前、大きな家門同士の魔法大戦があったようで、その時代の名残から、一族が生き延びるために技術を独占する風潮が生まれたそうだ。

当時も今も、戦争においては武術より魔法が優れているのは間違いないからな。

魔法より武術の方が発展した、陽ノ国が珍しいだけだ。

武術の中にも混戦を想定している物は当然あるが、基本は一対一であり、魔法ほど殲滅力はない。

魔法というものは、戦略兵器なのだ。

リーズの語るエレメンティア家の魔力運用法も、その一族にのみ継承される家門独自のものだろう。

つまり、本来は一族以外には伝えてはいけないものだ。

それを教えるなんて……。

「いいのよ。どうせこの運用法を知っているのは、もう私だけだしね……」

「……」

「それに、私の知る魔力運用法は、魔力の総量を増やす効果と、魔法の威力を上げる効果だけだもの。武術のように、型ごとに魔力の流れが違うわけじゃないし、簡単に覚えられるはずよ。でも、武術は違う。刀真に型ごとの魔力の運用法を教えてもらわないと、何もできないんだから」

俺も詳しくは知らないが、魔法使いにも魔力運用法が存在するものの、その中身は武術とは少し異なっていた。

というのも、リーズの言う通り、武術は型や動作ごとに魔力の運用法が変化するが、魔法使いの魔力運用法は一つだけであり、その魔力運用をしたまま様々な魔法を唱えるのである。

つまり、武術と違って、覚える運用法は一つなのだ。

そして、武術の魔力運用法は技の威力や効果の向上が主だが、魔法使いの魔力運用法は魔力を増やしたりするのが一般的だと師匠は言っていた。

話を聞く限り、リーズの魔力運用法も同じだろう。

とはいえ、リーズは王家の人間だ。

王家に伝わる魔力運用法ともなれば、他の家門や魔法使いが使うような魔力運用法に比べて、圧倒的に効果が高いだろう。魔法大戦を生き延び、王国を築き上げたのだからな。

リーズは何てことないように言っているが、魔力の総量を確実に増やせる技法は、間違いなく秘伝と言えた。

何にせよ、ここまで言われれば、なおさらリーズに俺の武術を伝承せねばなるまい。

「……分かった。俺の持つ技術を、リーズに伝えよう」

「本当!? ありがとう!」

「気にするな。それに、ちょうどリーズにピッタリのものがある」

「え?」

武術は型ごとに魔力運用法が存在する……それは間違っていない。

だが、テンリン師匠が創始した【覇天拳(はてんけん)】には、魔法使いの魔力運用法と同じく、これだけ覚えておけば、後はどう体を動かそうとも一定の身体強化をすることが可能になる、魔力運用法があるのだ。

「それに、普通にリーズが俺の技を一つ覚えるとなると、かなりの時間がかかるだろう」

俺の場合は、師匠が徹底的に鍛えてくれたため、早い段階で身に付けることができた。

しかし、いつ魔族からの襲撃があるか分からない中、俺と同じような厳しさの修行をするのは無理がある。

なんせ手足が簡単に飛ぶのだ。回復できるとはいえ、旅に大きな支障が出るだろう。

「だが【覇天拳】の中に、魔法使いの魔力運用法と同じく、身体操作に特化した魔力運用法があるんだ」

「身体操作?」

「簡単に言えば、この魔力の運用をすることで、身体を強化し続けられるというものだな。

それさえ覚えれば、常に身体能力は強化され、いつも以上に動けるようになるだろう」

「そんな魔力運用法が……」

「それに、その魔力運用法は【覇天拳】の基礎でもある。だから、その魔力の流れから派生して、型……つまり技ごとの魔力運用法に繋がるわけだ」

「す、すごいわね……」

リーズは俺の話を聞き、目を見開いた。

亜神にまで至ったテンリン師匠が、生涯をかけて編み出した武術だからな。普通とは違う。

ただ――――。

「恐らく他の武術とは異なり、かなり精密な魔力の操作が必要になる」

「……私にも覚えられるかしら？」

不安そうな表情を浮かべるリーズ。

俺はまだそこまで多くの武術を目にしたわけじゃない。

そのため、他の流派について多く語れるわけではないが、アールスト王国剣術の技のように、他の流派でも、大まかな魔力の流れを定めつつ、多少その流れと異なる魔脈が使われたとしても、一定の効果が発揮できるように魔力運用法が開発されているはずだ。

それに対して、俺がリーズに伝えようとしている魔力運用法は、細胞一つ違えることなく、その通りに魔力を巡らせる必要があった。

普通に教えるとなると、まず習得は不可能だろうが……。

「俺がリーズの魔力を導くから、心配しなくていい」

「わ、分かったわ」

一度魔力の流れを導いてあげた後は、自然と体がその魔力の効果を感じ取り、大まかな流れを覚えることができるのだ。

後はひたすらその魔力の流れを正確に体に染み込ませるように意識し、最後は無意識にその流れを作れるようにする作業となる。

最初が難しいのであって、その最初さえ乗り越えてしまえば、体の学習能力と修行でどうとでもなるのだ。

こうして魔力運用法を伝授することになった俺たちは、日が暮れる前に野宿の場所を決めると、天幕を張り、火の準備などをした後、早速伝授を始めることにした。

「さて……それじゃあ上着を脱いで、楽な姿勢で座ってくれ」

「うん」

リーズが座るのを確認すると、俺はその背後に回る。

「今から俺が、リーズの背に触れ、そこから俺の魔力を流し込み、導いていく」

「え、ええ」

「ただ、他者から魔力を動かされるのは、苦痛を伴うかもしれない。それでもいいか？」

「……覚悟はできているわ」

そう、この方法は確実に正しい魔力の流れを伝授できる代わりに、少しでも伝授する側の魔力操作が乱れれば、伝授される側にとてつもない苦痛が生じるのだ。

というのも、元々人間は他者の魔力を受け入れられるようにできていないため、あえて受け入れるという意思がなければ、拒絶反応が起きてしまう。

たとえ苦痛ではなかったとしても、不快さを感じたり、人それぞれの反応が出るのだ。

故に、魔力の流れの伝授には、伝授する側と、受け入れる側の協力が必要不可欠であり、伝授する側は、相手に不快感を与えぬよう、丁寧に魔力を操作する必要がある。

上手くいけば、心地いいと感じることもあるらしいが、これぱかりはやってみなければどうなるか分からない。

当然、俺は細心の注意を払って行うつもりだ。

ただ、俺を相手にした師匠に比べれば、幾ばくか楽だろう。

というのも、俺は【天魔体】のせいで、普通の人間に比べて魔力の流れが異常に激しく、そこに干渉して導くのは容易ではないからだ。

たとえ亜神にまで到達した師匠であっても非常に厳しく、俺は当時の痛みに耐えた記憶を蘇らせる。

だがさすがは師匠、それでも最低限の苦痛で伝授してくださったのだ。

師匠にしてもらったことを、俺が今度はする番だ。

緊張しているリーズの背に、俺はそっと両手で触れる。

「んっ」

ピクリと体を震わせたリーズだったが、すぐに姿勢を正した。

「では、始めるぞ」

そう宣言すると、リーズの中に俺の魔力を流し込んでいく。

「んっ……！」

するとすぐ、リーズは俺の魔力を感じ取り、微かに声を上げた。

それと同時に、俺はリーズの体内を巡る魔力の流れを視る。

――集中しろ。

俺の些細な失敗で、リーズに苦痛が襲うのだ。

「あっ……んっ、ちょ、ちょっと……」

リーズの魔力にそっと触れ、導いていく。

泡沫(ほうまつ)に触れるよう、慎重に、繊細に。

「と、刀真⁉　やっ……！」

戸惑うように揺らぐ魔力の流れを、宥(なだ)めるように、俺の魔力で優しく包み込んだ。

そして時に激しく、時に緩やかに魔力を動かし、師匠から学んだ魔力運用法を伝授していく。

「〜〜ッ！」

極限まで集中していた俺は、リーズの魔力を丁寧に導き、ついに――――。

「――はぁ」

俺は噴き出る汗をぬぐい取り、一息吐(つ)く。

何とか、伝授することができたか……。

「無事に終わったな……どうだ？　体は大丈夫――――」

「はぁ……はぁ……」

「リ、リーズ？」

リーズに視線を向けると、リーズは顔を真っ赤にし、こちらを睨(にら)んでいた。

「ど、どうした⁉　まさか、どこか痛みでも――――」

「な、何でもないわよッ！」

どう見ても何でもないようには見えなかったが、どれだけ訊いても答えてくれない。

やはり、体を痛めてしまったか……俺はまだまだ未熟だな……。

「すまない。次こそはもっと上手くやってみせる」

「嘘でしょ⁉」

俺の言葉に、リーズは悲鳴に近い声を上げた。

「こ、これ以上上手くってどういうことよ……！」

「いや、俺のせいでリーズが痛い思いを……」

「はあ？　痛い⁉　痛みどころか気持ち――――」

「ん？」

「～～ッ！　何言わせんのよ！」

「理不尽だ……」

一体、何だと言うんだ……。

結局何だったのかは分からないが……仕方ない。

これからも精進するのみだ。

俺がそう決意していると、息を整えたリーズが自分の体を見下ろす。

「……これが、刀真の武術の魔力運用法なのね」

リーズは先ほど俺が辿った魔力の流れを思い出すように、全身に魔力を巡らせていく。

まだ一度目だからこそ、完璧とは言えなかったが、元々魔法使いとして実力者であるリーズは、すぐに魔力の流れを修正し、正しい道筋を辿らせ始めた。

……さすがだな。ここまで早く、魔力の流れをものにできるとは……。

何度か修正のため、再度魔力を導くことも考えていたが、一度でここまで体得できたのは、日頃からリーズが魔力操作の鍛錬を怠っていない証だろう。

「そうだ。先ほどの流れを意識しつつ、体を動かしてみるといい」

「分かったわ」

「もし分からなければ、もう一度――――」

「そ、それは大丈夫よッ！」

リーズは再び顔を赤くしつつ、そう答えた。うむ、やはり必要ないみたいだな。

そんなことを考えていると、早速リーズが体を動かし始める。

するとリーズは、すぐに目を見開いた。

「す、すごい……！」

何度か殴る蹴るといった動作をしたり、その場から駆け出したり、跳んでみたりと、様々な身体操作を行う。

その動きは、今までのリーズとは比べ物にならないほど俊敏で、風を切る音が聞こえた。

もちろん、この魔力運用法を教える前のリーズも動けてはいたが、今の動きを見れば、やはり天と地ほどの差がある。

しばらくの間体を確かめていたリーズは、目を輝かせて俺を見た。

「本当にすごいわね！」

「師匠が編み出した技術だからな」

一部とはいえ、こうしてその技術を伝えられたことで、俺は嬉しくなった。

師匠……貴方が生きた証を、これからも残していきますね……。

改めて師匠へ思いを馳せていると、ふとリーズが訊いてきた。

「そういえば、この魔力運用法を教えてくれた貴方の師匠って誰なの？」

「テンリン師匠だ」

「テンリン？」

やはりというか、リーズは師匠のことを知らないようだ。

というのも、亜神様は基本的に世俗から離れて生活しているため、その名を知る者は少ないのだろう。

　何にせよ、テンリン師匠の技術を受け継いだリーズは、真剣な面持ちで改めて自身の体を見下ろした。

「……私に教えてくれた刀真に恥をかかせないためにも、しっかり修行しないとね」

「そこまで気を張らなくてもいいが……一緒に頑張ろう」

　そう笑いかけると、リーズも気を緩めて笑った。

「それじゃあ、今度は刀真に私の魔力運用法を教えるわね」

「頼む」

　俺が躊躇なくその場に座ると、リーズは驚いた。

「そ、その、いいの？　刀真は魔力を導くのがすごく上手だったから、私は何の苦痛もなかったけど……正直、苦痛なく伝承できる気がしないわ」

「問題ない。痛みには慣れているからな」

【極魔島】で何度も死の間際を経験しているのだ。

　それに、テンリン師匠から初めて俺の体内に魔力を流してもらった時とは違い、今の俺は自分の体内の魔力を完璧に制御できている。

　故に、リーズの魔力の導きに従いつつ、自身の身を護ることも可能だった。

　俺の言葉にリーズは目を見開くと、すぐに呆れた様子でため息を吐いた。

「はぁ……一体どんな修行をしてきたのやら……まあいいわ。刀真が大丈夫なら、今から始めるわね。上着を脱いでくれる？」

「承知した」

リーズに促され、俺も上着を脱ぐ。

すると、リーズは目を見開いた。

「す、すごい筋肉ね……まるで鋼みたい……」

「そうか？」

鍛錬は欠かさず行っているが……。

「ま、まあいいわ。それじゃあ始めるわよ！」

「ああ」

こうしてリーズは俺の背に手を当てると、俺がやった時と同じく、体内に魔力を流し込んできた。

それと同時に、リーズの魔力の質がハッキリと伝わる。

ふむ……リーズの魔力は、力強く、輝いているようだな。

何と言うか、リーズが好んでよく使う雷魔法の印象そのままだ。

激しく、恐ろしいが、美しい。

そんな印象をリーズの魔力から受けた。

それに、魔族に対する特効を持つように、やはり普通の人間の魔力の質とは異なっている。

どこか神聖な……浄化されるような気配を感じるのだ。

リーズの魔力を分析しつつ、リーズの導きに従い、俺は無事に彼女の魔力運用法を身に付けることに成功した。

「ふぅ……終わったわ。どう？　どこか体の痛みとかは？」

「何も問題なかったぞ」

そう答えつつ、俺は伝授された運用法を試してみる。

すると、その効果は凄まじく、世界に漂う魔力が、俺の中にどんどん吸収されていくのを感じた。

す、すごいな……本当に魔力が増えている。

俺が学んだテンリン師匠や皇祖師匠の教えでは、魔力を増やすことはできない。

武術の魔力運用法が、自身の魔力を体内に向けて作用させることに重きを置いているのに対し、魔法使いの魔力運用法は、世界に漂う魔力を、体内に取り込み、運用することに重きを置いているのだと実感した。

　何と言えばいいのだろうか……リーズから伝授された魔脈の通り道に魔力を巡らせると、それがまるで渦のような役割を果たし、世界に漂う魔力をどんどん吸収していくのだ。

　そんなことを考えつつ、ふとリーズに目を向けると、彼女も同じように渦を作り出し、魔力を吸収していた。

「この魔力運用法を使えば、少しずつとはいえ、魔力を増やせるし、魔力の回復も早まるわよ」

「うむ……やはり、まだリーズほど上手くは巡らんな」

　リーズの魔力の流れは非常に滑らかで、淀みなく体内を駆け巡っている。

　それに対し、俺はぎこちなさがあった。

　すると、リーズは首を傾げる。

「そう？　ちゃんと魔力は吸収できてるのよね？」

「ああ。ただ、リーズの魔力の流れを視ていると、な。これも修行だ。鍛錬を欠かさないようにするとしよう」

　そんな風に答えると、リーズは一瞬呆けた様子を見せ、すぐに怪訝な表情を浮かべた。

「……刀真。今、魔力の流れを視てるって言った？」

「ああ」

「……貴方もしかして、魔力の流れが視えるの？」

「ん？　視えるが……」

「嘘でしょ⁉」

俺の言葉に、リーズはこれでもかと目を見開く。な、何だ？

「何をそんなに驚いているんだ？」

「驚かない方がおかしいでしょ！　魔力の流れなんて、普通は視えないのよ！」

「……何？」

リーズの言葉に、今度は俺が怪訝な表情を浮かべた。

しかし、すぐにあることを思い出す。

そういえば、皇祖師匠は俺の眼がいいと言っていた。あれは魔力の流れが視えるからだったのか……。

ただ、俺の眼について、テンリン師匠から特に何か言われた記憶はない。

俺の眼は特殊なのか……？

思い返してみれば、レストラルで兵士の方々の訓練を見学させてもらい、俺がアールスト王国剣術を披露したら驚いていたな。あれも、俺がアールスト王国剣術の魔力の流れを再現し、技として発動できたことに驚いていたのだろう。

つまり、魔力の流れを視て、技を盗むのは基本的に不可能なことだったのか……。

ちなみに俺の眼は、母上と同じ色をしている。

母上と同じと言えば、体質である【天魔体】も一緒だったな。

もしかすると、母上も俺と同じように、魔力の流れが視えたんだろうか……。

思わず考え込んでいると、リーズは頭痛を和らげるように額に手を当てる。

「……規格外だとは思っていたけど、まさか魔力の流れが視えるなんて……」

「その様子だと、かなり特殊みたいだな」

「かなり、なんてもんじゃないわよ！　そんな話、聞いたこともないわ！」

なるほど……ならば、あまり人前でこのことは話さない方がいいのかもしれんな。

――こうして互いの魔力運用法を教え合った俺たちは、その道中で修行も兼ねて、近接戦で魔物討伐をしていくのだった。

＊＊＊

当初のことを思い出していた俺は、改めてリーズに目を向ける。

ふむ……最初に教えた時に比べて、魔力の流れがかなり滑らかになった。

まだ意識はしなければいけないだろうが、そう遠くないうちに、無意識にでも魔力の流れを維持できるようになるはずだ。

そして現在、リーズに基礎的な突きの方法などを伝えた結果、先ほどのようにゴブリン程度であれば、問題なく相手ができるようになっていた。

とはいえ、まだ近接戦の緊張感には慣れていないようで、必要以上に体力を消耗している。まあ、こちらも慣れれば解決するだろう。

「刀真の方も順調？」

「ああ」

リーズが修行をしているように、当然俺も修行として、リーズから学んだ魔力運用法を使い、魔物を討伐していた。

本当はリーズの魔力運用法で魔法を使い、魔物を倒した方がよいのだろうが、元々【天魔体】のせいで魔法の威力が普通より強いため、リーズの魔力運用法を使って魔法を行使すると、悲惨なことになるのは目に見えていた。

俺はまず、普通に魔法が使えるようになるのが先だな。

よって、俺はリーズの魔力運用法を使って魔力を吸収しつつ、近接戦をするという、歪な状態を維持していた。

もちろん、普段の魔力運用法からリーズの魔力運用法に切り替えているため、身体能力への補正はない。

だが、身体強化がなくとも戦えるよう、鍛えるのにはうってつけだった。

今までも身体強化抜きでの修行はしてきたが、その際は魔力を持て余していたからな。

それがリーズの魔力運用法のおかげで、魔力を別のことに使いつつ、修行することができるわけだ。

そんなこんなで旅を続けていると、遠くに城壁らしきものが見えてくる。

「見えてきたわ！」

「おお……！」

「あれが王都――グランボルトよ！」

このように、魔物を見つけるたびに実戦を通した修行を続けていた俺たちは、ついに王都に到着するのだった。

＊＊＊

――アールスト王国の王都・グランボルトには、墓地がいくつか存在した。

国民が眠る共同墓地に、歴代の王族が眠る墓地。

そして――英雄が眠る墓地。

当然、王家の墓を始め、墓荒らしが現れないよう、兵士たちが常に見張りをしていた。

そんなある日の夜。

英雄の眠る墓地に、一人の不穏な人影があった。


「キヒッ……キヒヒ……」


その人影は、墓地の中でもひと際巨大な墓石の前で不気味に笑う。

この英雄が眠る墓地は、昼間は観光地として栄えているが、夜に人が入ることはできないはずだった。

だが、見張りの兵士たちは、何らかの方法で深い眠りに落とされており、まったく起きる気配がなかった。

そんな中、不穏な人影は目の前の墓を見上げた。

「コイツを除いて、この地の死体はあらかた手に入れた……後はコイツさえ手に入れれば……！」

人影はその墓の前に跪(ひざまず)き、地面に手を付ける。

「『哀れな軀、自由な軀。死の呪縛から逃れようとも、我が手は軀に届く――――！』」

独特な詠唱と共に、人影は魔力を地面に流し始めた。

そして――――。

「『死霊顕現』――――さあ、来いッ！」

人影が完全に魔力を地面に流しきった瞬間、その人影を中心に、紫色の魔法陣が出現した。

その魔法陣は目の前の巨大な墓に向かうと、そのまま溶けるように染み込んでいく。

次の瞬間、大きな地響きと共に、墓の前の地面が裂けると、中から紫色の光が溢れ出し、一条の光の柱が立った。

するとその光の中から這い出るように、鎧を身に纏った、亡霊の騎士が姿を現した。

その亡者の体には、死の穢れが色濃く漂い、全身に黒い煙となって纏わりついていた。

その姿は、見る者に深い嫌悪感を与えるだろう。

しかし、この状況を生み出した当の本人である人影は、現れた亡霊騎士に嫌悪感を抱くどころか、その赤い瞳を爛々と輝かせ、歓迎するように両腕を広げた。

「おお、コイツが……！」

亡霊騎士は完全に顕現すると、静かに人影の前に佇む。

そんな亡霊騎士の体からは、紫色の魔力の糸が無数に伸びており、それらは人影と繋がっていた。

その様子を見て、人影は満足そうに頷くと、そっと手を伸ばした。

「ついに……ついに手に入れたぞ……！　コイツさえいれば――」

『――』

そして、人影の手が亡霊騎士に触れそうになった瞬間、亡霊騎士と人影を繋いでいた魔力の糸が、一気に引きちぎられた。

「なっ⁉」

突然の事態に驚いた人影が手を引っ込めると、次の瞬間、亡霊騎士は剣を一閃する。

奇跡的に回避に成功した人影は、焦りの声を上げた。

「ば、馬鹿な⁉　支配が無効化されただと⁉」

驚く人影に対し、亡霊騎士は凄まじい勢いで迫ると、手にした剣を振るう。

「クソがッ！」

人影は悪態を吐きつつ手を突き出すと、紫色の魔法陣を出現させた。

「『餓亡』！」

『――――』

詠唱破棄で魔法を発動させた次の瞬間、その魔法陣から無数の死体が飛び出す。

それらの死体はすべて、魔物の死体だった。

しかも、その死体の中にはS級を含む強力な死体もあったが、それらに知性は一切存在せず、ただ目の前の存在を喰らいつくすという本能のみが残されていた。

だが、そんな襲い掛かる魔物の死体に対し、亡霊騎士は一切動揺も見せず、凄まじい剣の腕で斬り捨てる。

そして、再び人影へと襲い掛かった。

「――――『亡壁』！」

『⁉』

襲い来る亡霊騎士に対して、人影は新たな魔法を詠唱破棄して発動させた。

すると、再度紫色の魔法陣が出現するや否や、今度は無数の人間の死体がその場に現れる。

現れた人間たちの死体は、人影を護るように亡霊騎士との間に立ちふさがった。

とはいえ、この程度の人間の死体では、S級の魔物の死体でさえ軽く倒す亡霊騎士を止めることはできないだろう。

故に、人影は必死に逃げながら、次の一手を考えていたのだが……。

「あ？」

なんと、先ほどは迫る魔物の死体を容赦なく斬り捨てていた亡霊騎士だったが、目の前に現れた人間の死体には、剣を振るわなかったのだ。

それどころか、攻撃することを避けるように、人間たちの死体から距離を置く。

「……まあいい。とにかく今は、退くか」

その様子に驚く人影だったが、これはチャンスと言わんばかりに亡霊騎士から逃げ出した。

「な、何だ⁉」

「おい、起きろ！　何が起きている⁉」

「あれは……アンデッドだと⁉」

すると、墓地での騒ぎが王都にも伝わり、追加の兵士がやって来た。

その兵士たちは墓地に現れた亡霊騎士を始めとする人間の死体……アンデッドに目を見開く。

「おい、急いで応援を呼べ！」

「騎士のアンデッドだ！　アイツが元凶か⁉」

「あの騎士から狙え！」

「逃がすな！」

そんな中、人影を逃がした亡霊騎士は、迫り来るアールスト王国の兵士に捕まる前に、闇夜に溶けるように消えていく。

「クソッ、逃げられた！」

「一体、何が起きたんだ……？」

「とにかく、今は目の前のアンデッド共を倒すぞ！」

墓地に溢（あふ）れかえるアンデッドの対処に当たる兵士たち。

アールスト王国に、不穏な影が迫っていることを、まだ刀真たちは知らなかった。

第二章

――グランボルトの冒険者ギルド。

ここには数多くの冒険者が集まっていた。

というのも、このグランボルトには、四つのダンジョンが存在するからだ。

D級ダンジョンと、C級ダンジョン。

そしてB級ダンジョンに、A級ダンジョンと、初心者から上級者にまで広く恩恵のあるダンジョンが集まっており、そのダンジョンを目当てに多くの冒険者が集まる。

そんな中、獣の耳や尾が特徴のビースターの女性が、様々な冒険者に声をかけていた。

「ねぇ、ウチとパーティーを――」

「悪いが、他を当たってくれ」

しかし、誰もそのビースターに見向きもしない。

それどころか――。

「またやってるよ……」

「アイツと組むと、命がいくつあっても足りねぇよ」

「いい加減、諦めろよな」

そのビースターに対して、どこか軽蔑的な視線を向けていたのだ。

すると、事情を知らない一人の男の冒険者が口を開く。

「なあ、アイツがどうかしたのか？」

「あん？　お前、このギルドは初めてか？」

「ああ」

「そうか。悪いことは言わねぇから、アイツと組むのだけは止めとけ」

「どうしてだ？　っと、姉ちゃん、こっちに酒二つ頼む！」

男は酒を二つ頼むと、一つは話を聞いている相手に渡した。

「お、悪いね。つっても、俺もそんなに詳しいわけじゃないんだが……アイツと組んだパーティーが、ことごとく事故に遭って、大怪我してるんだよ」

「ん？　それだけか？」

「それだけって言うが、一度や二度じゃねえ、何度もだ」

「それは……本当に事故なのか？」

つい疑いたくなる男の言葉に、話し相手は酒を飲みながら続ける。

「ま、そう思うよな。一応、死者は出てねぇし、組んでたパーティーの面々が言うには、アイツに非はないって話だ。だが、アイツと組んでダンジョンに潜ると、何故かいつも以上に罠が多く出現したり、そのダンジョンのランクからは考えられねぇ強さの魔物が出現したりするんだとよ」

「へぇ……」

「だから、アイツと組むのを皆避けるのさ。ダンジョンで強くなれるとはいえ、この仕事は命あってのものだからな」

「違いねぇ」

――結局、ビースターの女性の声掛けに応じた冒険者は、一人も現れなかった。

＊＊＊

「ここが王都か……」

昼前に王都に到着した俺たちは、手続きを終え、街の中へと足を踏み入れた。

そこで俺は、レストラルの何倍もの人の数に、圧倒される。

レストラルも十分大きい街だと思っていたが、この地を見ると、その考えは吹き飛んだ。

ただ、レストラルは完全な港町といった雰囲気が漂っていたが、この王都は商業都市といった印象を受けた。

というのも、先ほどから多くの商品を積んだ荷馬車が何度も往来していたり、街のあちこちで商売が活発に行われていたりするのだ。

それに合わせてか、住宅の印象もレストラルとは変わっている。

向こうでは、宿屋以外はあまり二階建ての建物を見なかったものの、こちらは二階建てどころか、三階建て以上の建物があちこちに見えた。

そんな風に周囲を見渡していると、リーズが感慨深そうに街を眺める。

「この感じ……久しぶりね」

「ん？　リーズはここに住んでいたことがあるのか？」

そう訊くと、リーズは首を振る。

「少しだけね。家臣の追手から必死に逃げていた時、一時的に身を隠していたってだけよ」

「そうか……」

「でもギルドの場所とか、宿の位置は分かるわ」

「なるほど、どこか目星をつけてるようだな」

「ええ。昔に利用していた宿が、身を隠すのにちょうどいいのよ。まあまだ残ってるかは分からないけどね」

こうしてリーズに案内されつつ、俺たちが泊まる宿へと向かう。

すると、かつてリーズが利用していたという宿は残っていた。

「ここよ」

「ふむ……」

案内された宿は二階建てで、【木ノ葉亭(このはてい)】というらしい。

レストラルで泊まったヒーリスに比べて、かなり小さかった。

しかも木ノ葉亭は、街の片隅というか、主要な通りから離れた位置にあるのだ。

とはいえ、特に汚いといった印象は受けない。店主の管理が行き届いているんだろう。

何にせよ、この宿は確かに身を隠すのにちょうどよさそうだ。

それに、万が一魔族が襲ってきても、ここなら人を巻き込みにくい。

宿の中に入ると、そこはどこか落ち着いた雰囲気の食堂になっていた。

宿を観察していると、リーズが手続きをしてくれた。

「無事、二部屋とれたわ。とりあえず、一週間ね」

「ありがとう」

　結局、ヒーリスの宿代はリーズに払ってもらっていたため、正確な値段は知らないが、この木ノ葉亭はかなり安く、朝食も付いている。

　ただ、ヒーリスのように裏庭もなければ、水汲み場もないため、体の汚れを拭いたりするには、街の共同水汲み場まで行く必要があるようだ。

　簡単に宿の説明を受けた俺たちは、一度部屋に向かい、荷物を置くと、リーズの部屋に集合した。

　集まったのは、今後の予定を確認するためだ。

「それで、これからどうする？」

　俺がそう訊くと、リーズは口を開く。

「そうね……当初の予定通り、私は図書館で魔族について調べてみるわ」

「ふむ……それなら俺も手伝おう」

「それは有難いけど、貴方、まだ文字読めないでしょ？」

「……そうだったな」

　リーズからもらった指輪のおかげで話すことはできるが、まだこの大陸の共通語を読み書きすることはできなかった。

　そういえば、テンリン師匠とは指輪なしで意思疎通ができていたな。

というのも、テンリン師匠は普段から言葉に魔力を乗せており、その魔力には話し手の意思が籠もっているため、たとえ言語が違えども、今のリーズと俺のように言葉を交わすことができていた。

ただ、あくまでこれは言葉に魔力を乗せることでの意思疎通であり、読み書きには通じない。もちろん、文字に魔力が込められていれば話は別だがな。

それに、テンリン師匠は魔力で脳を活性化させ、一瞬で陽ノ国(ひのくに)の文字を覚えていたし……。

俺もその技術が使えれば、指輪がなくとも意思疎通ができ、文字の読み書きもこなせるのだが……生憎(あいにく)、俺はそこまでの技術を習得できていない。

それでもある程度は脳を活性化できるため、リーズによる指導のおかげで、完璧ではないにしろ、簡単な読み書きはできるようになっていた。

「まあ刀真(とうま)は物覚えもいいし、すぐに覚えられるわよ」

「……精進しよう。ならば、俺はどうするか……図書館とやらで文字を学ぼうにも、そうするとリーズの手を煩わせることになるし……」

「うーん……刀真は王都を見て回ったら？」

「街を？」

「ええ。ほら、言ったでしょ？　王都には闘技場や、色んな道場があるって……」

前にリーズの話を聞いた時から、かなり楽しみにしていたのだ。

「だが、大丈夫か？　リーズを一人にすることになるが……」

「図書館には兵士も常駐してるし、大丈夫よ」

「……そうか」

あまり過保護というのもよくないだろう。リーズ自身も強いしな。

「まあ、魔族もすぐには動き出すことはないだろう」

「そうなの？」

俺の言葉に、リーズが首を傾げる。

「あくまで憶測だがな。魔族が倒されたという情報は、恐らく黒幕に伝わっているだろう。倒されたということは、魔族という存在が明るみに出たと向こうは考えるはずだ。であるならば、相手はこれ以上証拠を残さないよう、身を隠す可能性が高い。逆に、開き直って大々的に動く可能性もあるが、これればかりは魔族の計画次第だな」

「なるほど……」

「それに、これだけ人が多い街なら、万が一襲われたとしても、周囲に助けを求めるのも簡単だろう」

「そうね。【剣聖】率いる騎士団や、冒険者も数多く滞在してるし、魔族も派手に動けないでしょうね……」

とはいえ、警戒は続けるつもりだ。

それに、よくよく考えれば街を見て回るというのも、都合がいい。

魔族が襲ってきた際の逃走経路や、襲撃されやすそうな箇所をあらかじめ調べておけるからな。

「他にすることと言えば……ダンジョンの攻略かしら？」

「よく分からないが、ダンジョンで魔物を倒せば強くなれるんだったな？」

「ええ。私も学者じゃないから詳しい説明はできないけど、ダンジョンで魔物を倒すと、肉体が強化されたり、魔力が増えたりするそうよ。ただ、ダンジョンにも冒険者と同じでランクがあって、そのランクごとに強化される上限があるみたいなの」

つまり、ランクの低いダンジョンで魔物を倒し続けていても、いずれ限界が訪れるというわけか。

より強くなるためには、上のランクのダンジョンに挑む必要があると……。

そこは普通の修行と変わらんな。

「ちなみにリーズは、ダンジョンの経験は？」

「ないわ。前までは一人だったし……ダンジョンってそれだけ危険な場所だから、普通はパーティーを組まないと入れないの。だから楽しみでもあるのよ。ただ……二人でも行けるとは思うけど、もう一人くらい仲間がいると心強いわね」

「なるほど」

「滞在期間は決めてないけど、できるだけダンジョンで鍛えたいわね。運がよければ、使えるアイテムも手に入るみたいだし」

「俺もアイテムバッグがほしいな」

「そうね、これがあると便利よ。まあ私の物は、おばあ様からもらったんだけどね。何にせよ、これからの私たちに役立つアイテムが手に入ることは間違いないわ」

陽ノ国にあったのかは分からないが、聞けば聞くほど、ダンジョンは魅力的な場所のようだな。

こうしてある程度これからのことを話し合うと、早速リーズは図書館へ向かい、俺は道場巡りも兼ねて、街を見て回るのだった。

＊＊＊

「なるほど……面白い」

街を歩きつつ、独り言ちる。

この街に来て、早三日が経過した。

俺は予定通り、道場を巡り、リーズは図書館に通っている。

リーズの方は今のところ進展がないようで、こうして道場巡りを楽しんでいることに罪悪感を覚えた。

ここはより強くなることで、しっかりリーズの役に立てるようにしよう。

そんな道場巡りだが、このアールスト王国が【剣聖】誕生の地というだけあって、アールスト王国剣術を始めとした、様々な剣術の道場が集まっていた。

剣と刀では武器の使い方が異なるため、そのまま刀術に組み込めるわけではないが、それでも参考になる部分は多い。

というわけで、目につく道場一つ一つに顔を出したわけだ。

最初こそ、陽ノ国人である俺に驚いていたが、見学したい旨を伝えると、皆快く見学を許してくれる。

そして道場ごとの稽古風景を見学させてもらった。

様々な剣術道場を見学した俺だったが、見て回ったことで、ある結論に至る。

「色々見てきたが、やはりアールスト王国剣術が一番だったな」

【剣聖】が創始した剣術だからか、剣術としての完成度が違うのだ。

学ぶのであれば、アールスト王国剣術がいいだろう。

「それに、他に心惹かれる剣術もなかったしな……」

稽古風景から、それぞれの武術の【神髄】は垣間見えたものの、その【神髄】に到達している人物は見当たらなかった。とはいえ、師範級にもなると、皆手練れ揃いなのに間違いはないがな。

ただそれが、俺が心惹かれなかった理由の一つでもある。

こうして道場を巡っていた俺だが、他には、リーズから聞いていた闘技場にも顔を出してみた。

そこには多くの観客が詰めかけ、すごい熱気が満ちていたのだ。

闘技場には【剣聖】という名に惹かれた武者たちが集まり、武を競い合っている。

一応、規則では人を殺してはいけないことになっているが、互いに殺すつもりの本気の戦いが繰り広げられていた。

俺が観た試合では、人が死ぬようなことはなかったが、戦いである以上、絶対はない。

そして、闘技場では、様々な腕前の者たちが武を競い合っており、今回俺が観た試合は、まだ己の武を磨き始めたばかりと思われる者同士のものだった。この中から、後の強者が現れるのかもしれないな。

そんな試合を観ていたわけだが、街では見かけなかった流派も登場し、何より魔法も飛び交っていたため、見ているだけで非常に楽しめた。これは観客が集まるのも納得だ。

とはいえ、やはりその試合でも、気になる武術を扱う者はいなかったのだ。

「ふむ……あらかた見て回ったが、入門するなら、やはりアールスト王国剣術か……」

この街にどれほど滞在できるかは分からないが、気になるからな。

そんなことを考えつつ歩いていると、宿とは別方向の街はずれにやって来てしまった。

「……そういえば、こちら側はまだ見てなかったな」

道場自体が街の中心地や、『剣聖通り』と呼ばれる地区に集まっていることもあって、今俺のいる場所には来たことがなかったのだ。

何より逃走経路や襲撃されそうな場所の目星はすでにつけていることと、用がなければ訪れる目的もないため、後回しにしていた。

とはいえ、せっかく来たからには見て回ろう――――そう思った瞬間だった。

「！」

突如、全身を貫かれるような、凄まじい闘気を感じ取った。

その闘気は、今まで見てきた道場の、どの師範よりも凄まじい。

ただ、この闘気は俺に向けられているものではなかった。

「この気は一体……」

闘気の主に興味が湧いた俺は、鋭い気の発生源へと向かう。

すると、小さな道場に辿り着いた。

掲げられている看板を読もうとしたが、残念ながら読むことは叶わない。

諦めて道場に足を踏み入れると、修練場と思しき場所に、一人の壮年の男性が佇んでいた。

「……」

簡素な衣服に身を包み、かき上げられた緑髪のその男性は、静かに目を閉じている。

そしてその右手には、身長を超える長柄の武器が。

――槍か。

俺はその男性の握る槍を見て、驚いた。

というのも、この街に来て、初めて剣術以外の道場を見つけたからだ。

何より、あの鋭い気の主は、目の前の男性で間違いない。

張り詰めた空気が漂う中、男性は開眼した。

「シッ――！」

鋭い呼気と共に放たれる突き。

その突きには風が螺旋状に纏わりついている。

これは……⁉

俺はそのひと動作だけで、目を奪われた。

たったひと動作。

しかし、その動作の中に、俺はこの武術の【神髄】を感じ取ったのだ。

驚く俺をよそに、男性は突きを繰り出すと、そこから流れるように槍を振るう。

その流れはまるで螺旋を描くようで、回転しながら次々と技を繰り出していった。

何より俺の眼に映る男性の魔力の流れも凄まじく、複雑な魔力の運用を完璧にこなしているのだ。

俺が美しい槍の動きに見惚れていると、やがて男性は動きを止めた。

「――――ふぅ」

「お見事でした！」

「！」

思わず拍手をしていると、俺に気づいた男性がこちらに視線を向けた。

どうしてこれほどの実力者が、こんな街の片隅で道場をやっているんだ⁉

何にせよ、この出会いを大事にせねば……！

「君は……」

「すみません、近くを歩いていましたら、凄まじい気配を感じまして……それでここに辿り着きました。ここは、道場なんですよね？」

興奮が収まらぬ俺は、つい立て続けにそう訊いてしまう。

そんな俺に気圧されつつも、男性は頷いた。

「あ、ああ。そうだが……」

「――弟子にしてください！」

「⁉」

俺は自然とそう頭を下げていた。

あの槍捌きを見て、俺は完全にこの男性の槍術に心惹かれてしまったのだ。

俺の言葉に呆けた表情を浮かべる男性だったが、正気に返ると慌てて声を上げる。

「ま、待ってくれ！　ここは見ての通り、小さい上に弟子もいない、形だけの道場だ。何より、アールスト王国と言えば、【剣聖】の地。素晴らしい剣術の道場がたくさん集まっている。それに、槍が使えたところで、何もならないよ……」

男性はそう言うと、一瞬その表情に影を落とした。

あれ程素晴らしい槍術を身に付けているのに、何もならないとはどういう意味だろうか？

だが何にせよ、俺の意思は変わらない。

「いいえ。私は貴方の槍術を学びたいのです」

アールスト王国剣術にも心惹かれたが、それ以上に俺はこの槍術に惹かれたのだ。

もちろん、俺はまだ、【覇天拳】や【降神一刀流】を完璧に使いこなせてはいない。

だが、テンリン師匠たちと過ごす中で、強くなる以上に、俺は武術そのものが好きになっていたのだ。

真剣な想いを男性に伝えると、男性は困惑した様子で頬をかく。

「むう……まあ弟子になるのは構わないが……」

そこで言葉を区切ると、俺を上から下まで観察するように眺め、さらに困惑を深めた。

「……どう見ても、ウチの槍術は君には必要ないと思うがね。なんせ君は――――【神髄】の到達者だろう？」

……さすがだ。一目で俺が【神髄】の到達者だと見抜かれた。

「確かに拳と刀には自信がありますが、槍は素人ですから」

「そうかもしれないが……」

　まだ悩んでいる様子の男性だったが、やがて大きなため息を吐く。

「はぁ……どうやら本気みたいだな。いいだろう、君を受け入れよう」

「ありがとうございます！」

　俺は嬉しくなって、勢いよく頭を下げた。

　そんな俺を見て、男性は苦笑いを浮かべる。

「はは、まさかこんなに若い【神髄】の到達者と出会い、しかも弟子として迎え入れることになるとは……まあいい。私はドゥエル・ロンドだ」

「刀真です。改めまして、よろしくお願いいたします、ドゥエル師匠！」

　再々度、深く頭を下げる俺。

　こうして俺は、ドゥエル師匠から、【大廻槍法】を学ぶことになった。

　――そんなドゥエル師匠が、かつて【血槍の死神】と呼ばれ、恐れられた伝説的存在だということを、この時の俺は知る由もなかった。

第三章

ドゥエル師匠に弟子入りしてから二日が経過した。

そんな俺たちだが、今日はダンジョンに挑戦する予定で、その情報収集のため、ギルドに向かっている。

というのも、ここ数日ずっと図書館に籠もっていたリーズが、気分転換を申し出たのだ。

「はぁ……」

「調子はどうだ？」

「全然駄目。どれだけ探しても、出てくるのは神話とか御伽噺(おとぎばなし)ばっかりよ。それも、ハッキリと魔族の存在が記されているものはないわ」

「そうか……」

「そっちこそどうなの？　確か、道場に入門したんだっけ？」

「ああ。ドゥエル師匠の下で、【大廻槍法】を学んでいるところだ」

俺がそう答えると、リーズは微妙そうな表情を浮かべる。

「……刀真が弟子入りしてるって状況も不思議だけど、この国で、まさか剣じゃなくて槍を選ぶとは思わなかったわ」

まあリーズの反応が普通だろうな。実際、ドゥエル師匠も同じことを言っていたし。

だが、ドゥエル師匠の槍術に惹かれたのだから仕方がない。

それに、ドゥエル師匠のところも他と同じで月謝制だったが、他の道場に比べて圧倒的に安いのだ。正直、あり得ない。

あんな達人に教えてもらえるのに、あの値段はおかしいだろう。

ただ、ドゥエル師匠本人はさほど金銭に興味はないようだ。まあ俺もそこまで手持ちがあるわけではないので、助かるのだが……。

「それで、修行はどんな感じ？」

「ボコボコにされているぞ！」

「……何で嬉しそうなのよ……」

俺が清々しい笑顔でそう答えると、リーズは若干引いていた。

もちろん、打ちのめされるのが好きというわけではない。

新たな学びがあり、それが血肉となっていくのを実感しているからこそ、嬉しいのだ。

「でも正直、刀真がそんなにやられてるなんて想像もつかないわ……そんなにドゥエルさんって人は強いの？」

「強いな。なんせ、【神髄】の到達者だ。まさに手足のように槍を操る」

ただ一つ付け加えるのであれば、修行中は【覇天拳】や【降神一刀流】の技術は一切使っていない。

魔力運用法や型を含め、俺の持つ技術をすべて封じているのだ。

当たり前だが、ドゥエル師匠から学んでいるのは【大廻槍法】だ。

それを学ぶ上で、他の流派の動きは妨げになるため、今はすべて使っていないのだ。

とはいえ、体を動かす時のコツなどは共通している部分も当然あり、そういった点では、今まで俺が積み重ねてきたものが活きることもあった。

こうして【大廻槍法】を学び、その【大廻槍法】でドゥエル師匠と打ち合うたびに、ボロボロにされているというわけだ。

「だが、そのおかげで、今まで以上に強くなっていることを実感しているぞ」

「刀真がそこまで言うなんて……」

「まだまだ未熟だからな」

そんな俺がこうして【大廻槍法】を学んでいるわけだが、武術を学ぶのが楽しいということ以外にも、理由があった。

それは、レストラルで魔族を相手にした際、ヤツの完全防御形態を打ち破ることができなかったことだ。

テンリン師匠や皇祖師匠であれば、あんな形態、容易く破っていただろう。

それに対して、俺は【降神一刀流】の奥義を繰り出し、突破した。否、そうすることしかできなかった。

俺にもっと力があれば、【覇天拳】や【降神一刀流】の奥義を使わずとも、突破できただろう。

つまり、俺が未熟であるという証拠だ。

その未熟さを埋めるためにも、新たな視点として、ドゥエル師匠の【大廻槍法】が必要だと俺は思ったわけだ。

そしてこの槍法を身に付け、やがては【覇天拳】や【降神一刀流】と組み合わせられるよう、今は修行あるのみ……。

「何にせよ、俺はリーズの剣として、盾として、力をつけるだけだ」

「……ありがと」

リーズは少し頬を赤く染めると、顔を逸らしながらそう呟いた。

「ここが王都の冒険者ギルドね」

軽く近況報告しながら歩いていると、ついにギルドに辿り着く。

この街に来て、互いにやりたいことをしていたため、この街のギルドに入るのは初めてだった。

建物自体は遠目から見ていたが、中がどうなっているのかは分からない。

レストラルのギルドと比べて、かなり大きな建物だったが、それだけ冒険者の出入りが多いのだろうな。

そんなことを考えつつ中に入ると、やはりレストラルのギルドとは比べ物にならないほど、広い空間が広がっていた。

ただ、その広い空間も多くの冒険者や依頼人でごった返しており、窮屈に感じる。

「すごいな……」

「ええ。それに、併設されてる酒場の規模も大きいわね」

思わず呟いた俺の言葉に、リーズも頷いた。

「ひとまず、掲示板を確認してみましょう。依頼の中に、ダンジョンに関するものがあれば、受けておいた方がお得でしょ？」

「そうだな」

リーズの言葉に従い、俺たちは掲示板に向かった。

　少しずつ俺も文字が読めるようになってきているため、リーズと共に依頼書を確認していると、ふと酒場の冒険者たちの話が耳に入ってくる。

「――そういや、あの亡霊騎士の話ってどうなったんだろうな？」

「亡霊騎士？」

「何だよ、知らねぇのか？　ほら、前に英雄の墓地でアンデッドが湧いた事件があったろ？」

「ああ、その話は知ってるぞ」

「その事件の犯人が、亡霊騎士だって噂だ」

「そんなことが……」

「俺もその話なら知ってるぜ。残念なことに、まだ見つかってないみたいだがな。しかも、最近の連続失踪事件も、その亡霊騎士の仕業なんじゃないかって話だ」

「失踪事件って……ああ、近頃、謎の失踪者が続出してるってやつか？」

「そうそう、それだ。消えた連中の共通点は特になく、犯人の手掛かりもない。だが、亡霊騎士の出現と、失踪事件が始まった時期が同じだってんで、亡霊騎士が犯人として挙げられてるんだよ」

「おいおい、マジかよ……そんじゃあ、そのうち討伐隊でも組まれるのかね？」

「すでに国が本腰を入れて探してるみたいだがな。なんせ、英雄の墓が荒らされて、アンデッドも出現。その上、失踪者も出てるからな。だから、俺たちにも仕事が回って来るかもしれねぇぞ」

「うへぇ……アンデッドは面倒だから、できれば相手にしたくねぇなぁ」

亡霊騎士？　それに失踪事件とは……。

気になる話題に首を傾げていると、依頼書を確認し終えたリーズが、俺に顔を向けた。

「思った通り、ダンジョンに関する依頼が多いわね……って、どうしたの？」

「いや、実はな……」

俺はたった今耳にした話を、リーズに伝えた。

するとリーズは難しい表情を浮かべる。

「そんなことが……最近は図書館に籠もりっきりだったから、全然知らなかったわ」

「それを言うなら俺もだ。しかし、失踪事件とは物騒だな」

「そうね。これからは帰り道も気を付けないと……」

俺もリーズも、魔族の存在が頭に浮かんだ。

ただ、すでに魔族の情報は、レストラルを治めている貴族、リーデンス様を通してこの王都にも伝わっているはずだ。

となると、万が一この事件の黒幕が魔族だったとしても、迅速に動いてくれるだろう。

「まあいいわ。それより、どうする？　依頼を受けておく？」

「そうだな……いや、最初は様子見したいし、依頼は次からにしよう」

まだダンジョンというものがどんなところか分かっていないため、俺はそう答えた。

一度ダンジョンの感覚を摑めば、次からは依頼を意識してもいいだろう。

見たところ、依頼書のほとんどはダンジョンの魔物に関する素材を入手しろというもので、それらに混じって時々薬草類や鉱石らしきものの採取依頼が貼り出されていた。

ちなみにダンジョンについてだが、あらかじめ簡単な概要はリーズから聞いている。

この街には四つのダンジョンがあるが、好きなダンジョンを選べるというわけではないのだ。

基本的にパーティー単位の平均ランクによって、潜ることができるダンジョンが決まるらしい。

俺たちの場合は、俺がＤ級、リーズがＡ級であるため、潜れるのはＣ級、またはＤ級となる。

「そうね。となると、向かうダンジョンはＤ級がいいわね」

修行というのであれば、ランクの高いダンジョンの方が危険で、よりいい修行になるだろう。

しかし、俺たちはダンジョン初心者であり、何が起こるか分からない。安全は保証されていないのだ。

ならば、慎重になるに越したことはないだろう。

そんなことを考えていると、ふとリーズが不安げな表情を浮かべる。

「でも、私たちだけで大丈夫かしら？」

「ん？　どういうことだ？　リーズはA級だし、D級のダンジョンであれば、そこまで心配はいらないのでは？」

「もちろん、調べた感じ、D級のダンジョンに出現する魔物は問題ないと思うわ。私が気になってるのは、罠（わな）の方よ」

「罠？」

「ええ。ダンジョンでは魔物に気を付けるだけじゃなくて、罠にも気を配りながら先に進まなきゃいけないの。だから、罠に関する知識がない私たちだけで、本当に大丈夫かなって……」

「ふむ……」

「まあ刀真（とうま）なら、強引に罠を突破できそうな気もするけど、何が起きるか分からないし

「……ここはどこかのパーティーに入れてもらうか、罠に詳しい人を仲間にした方がいいかもしれないわね」

　まさか、ダンジョンに罠があるとは思いもしなかった。

　そもそも、ダンジョンがどういったものなのかよく理解できていないのだが、罠があると言うことは、何らかの意思が働いているのか？

　となると、ダンジョンで魔物を倒せば強くなるというのも、何か意味があるのかもしれないな。

　ともかく、俺にもリーズにも罠に関する知識はなかった。

　だが……。

「その……リーズはいいのか？」

　信じていた家臣から裏切られた経験のあるリーズにとって、仲間というのはそう簡単に決められるものではないだろう。

　当然、本人はこのままではダメだと、仲間を増やそうとしているが……。

　思わず心配をしていると、リーズは苦笑いを浮かべる。

「そんなに心配しないでも大丈夫よ」

「君がそう言うのなら……」

「まあでも、今まで仲間を作ろうなんて考えたこともなかったから、どうすればいいのか……」

それは俺も同じであり、師匠と別れ、リーズと出会うまでは一人だったのだ。当然俺も仲間を増やす方法など知らない。

つい途方に暮れていると、不意に俺たちに声がかけられた。

「ねぇねぇ」

「ん？」

「もしかして、ダンジョンに挑戦する仲間を探してる感じ？」

声の方に視線を向けると、そこには一人のビースターの女性が立っており、リーズに目を向けていた。

そのビースターの女性は、艶やかな黒髪を肩の上で切り揃えており、その前髪の一部が白髪になっている。

そして頭部には、ビースターの証である獣の耳と、尾骶骨部分から、同じく獣の尾が生えていた。

全体的に身軽そうな装いをしているが、腰に下げられた短剣や鞄の様子を見るに、冒険者としてもある程度経験があるのだろう。

ただそれ以上に、俺は彼女の身のこなしに驚いた。

……素晴らしいな。種族による特性かは分からないが、全身がしなやかで、よく鍛えられている。身体能力も高いのだろう。

ただ……何だ？

魔力の流れは正常なはずだが、彼女の魔力から目が離せない。

というのも、俺はこの女性から、妙な魔力の気配を感じ取っていたのだ。

魔族のような、嫌な気配では決してない。

むしろ、神聖さが感じ取れる。

しかし、その気配は極めて薄く、女性の奥底に眠っているようだった。

ふむ……敵ではなさそうだが……。

俺が目の前の女性を観察していると、リーズが戸惑いながら答えた。

「え、ええ。そうだけど……」

すると、リーズの答えを聞いた女性は目を輝かせた。

「な、なら、ウチをパーティーに入れてくれない⁉」

「え？」

思ってもいなかった申し出に驚いていると、女性は続ける。

「D級のダンジョンなら三階層までの道は全部覚えてるし、罠の解除もできるから！」

なんとこの女性は、ちょうど俺たちが欲(ほっ)していた能力のすべてを持っているらしい。

それが本当なら助かるが……。

「リーズ、君の判断に任せよう」

俺はそう告げた。

俺としては特に問題はないが、決めるのはリーズだ。

すると、その女性は初めて俺の存在に気づいたようで、眼(め)を見開いた。

「う、嘘(うそ)、いつからそこに⁉」

「最初からだが……」

まあ気配が希薄なのは理解しているため、特に何とも思わない。

「全然気づかなかった……そ、その、君も彼女の仲間なの？」

「ああ」

そんなやり取りをしている間にも、リーズは考え込んでいた。

その間、女性は不安そうな顔でリーズを見つめていたが、やがてリーズは頷(うなず)く。

「……いいわ。一緒にダンジョンに挑戦しましょう」

「え、本当に⁉」

リーズが許可を出すと、女性は信じられないといった様子で声を上げた。

「ええ。私たちが仲間を探してるのも事実だし、貴女(あなた)には罠の知識があるんでしょ」

「う、うん、もちろん！」

「それなら目的が一致してるし、大丈夫よ。刀真もいいわよね？」

「問題ない」

俺たちが彼女を受け入れる選択をすると、目の前の女性は一瞬呆(ほう)けた様子を見せつつ、笑みを浮かべた。

「あ、ありがとう！　よろしくお願いしますッ！」

元気よく頭を下げる女性。

すると、ふと周囲の冒険者たちが、俺たちに視線を向けていることに気づいた。

「おい、アレ……」

「アイツら、【不幸(ミスフォーチュン)】を知らねぇってことは、外から来たのか」

「ご愁傷様だな」

……やはり、この女性には何かあるのか？

改めて女性に目を向けるも、その女性からは特に嫌な気配は感じ取れない。

ふむ……まあそのうち分かるか。

そう結論づけると、女性は元気よく自己紹介をする。

「ウチはニャム！　D級冒険者です！」

「刀真だ。君と同じ、D級だな」

「私はリーズ、A級よ」

俺とリーズも簡単にそう伝えると、女性……ニャムは目を見開いた。

「え、A級⁉」

思わずといった様子で声を上げるニャムに対し、周囲で聞き耳を立てていた冒険者たちも驚く。

さすがリーズだな。【黄金の魔女(ゴールデン・ウィッチ)】と呼ばれているだけある。

思わず自分のことのように満足げに頷いていると、話もそこそこに、ひとまずダンジョンに向かうことになるのだった。

＊＊＊

「ここがダンジョンか……」

俺たちがやって来たのは、王都を囲う城壁外にある、森の中。

本来、街の外は魔物で溢(あふ)れているため危険だったが、この森までの道は舗装されており、何よりダンジョンに向かう人や、それらを管理するギルドの職員、そして国の兵士もいるため、かなり安全と言えるだろう。

そんな厳重に管理されているダンジョンだが、森の地面にぽっかりと穴が空いており、その穴には地下へ続く階段があった。この階段の先が、ダンジョンなのだろう。

ニャムを加えた俺たちのパーティーだが、当初の予定通り、D級のダンジョンに来ていた。

道中、ニャムから簡単にダンジョンの説明を聞いたところ、このD級のダンジョンは全部で五階層からなっているらしく、ダンジョン内は光も灯(とも)っているらしい。

とはいえ、すべてのダンジョンに光源が確保されているわけではなく、世の中には真っ暗闇のダンジョンもあるようで、そういったダンジョンに挑戦する際は、光源が必須だそうだ。

ただ、俺たちが挑戦するような初心者向けのダンジョンでは、そんな心配はほぼない。

それよりも、俺はニャムの態度と、俺たちとニャムを見る周囲の冒険者の反応の方が気になっていた。

ニャムは不安げな表情を浮かべており、周囲の冒険者たちは俺たちを見て、憐(あわ)れんだ表情を浮かべているのだ。

そのことが気にかかっていると、不意にリーズが口を開く。

「ねぇ、ニャム。さっきから不安そうだけど、どうしたの?」

「あ……」

「初心者向けとはいえ、今からダンジョンに挑戦するんだし、そんな調子じゃ危ないわよ」

本人も気づいていなかったのか、リーズに指摘され、ニャムは慌てた様子を見せた。

しかし、すぐに不安げな表情のまま、ニャムは口を開く。

「じ、実は……二人に伝えてないことがあるんだ」

「……」

黙ってニャムの言葉を促すと、ニャムは続ける。

「ウチ……【不幸(ミスフォーチュン)】って呼ばれてるの」

「【不幸】?」

リーズがそう訊(き)き返すと、ニャムは小さく頷く。

「……うん。ウチと一緒にダンジョンに潜ると、必ず事故に遭うからそう呼ばれるようになったんだ」

そこまで語ると、ニャムは慌てた様子で付け加える。

「あ、も、もちろん、ウチが事故に遭わせようとか、そんなことを考えてるわけじゃないからね!? でも……何故かウチとダンジョンに潜ると、そのダンジョンではあり得ない強さの魔物が出てきたり、普段以上に凶悪な罠が出現したりするようになって……」

「それは本当にニャムのせいなのか? 偶然、という可能性もあるだろう?」

「ううん、ウチのせいだよ。だって、ウチが抜けたパーティーは、ダンジョンをいつも通り攻略できるようになって、逆に新しくウチが入ったパーティーは、今までとは違って、大変な目に遭い続けてるから……そのせいでウチは、パーティーを転々とするだけで、経験はあるけど中々ダンジョンを攻略できなくて、D級のままなんだ……」

なるほど……周囲の冒険者の視線は、そういうわけだったのか。

聞いていた感じ、ニャムに故意はない。彼女から漂う気配からも、そう判断できた。

しかしそうは言っても、到底信じられないのが人の心というもの。

ニャムは不幸の対象として見られるようになり、周囲から疎外されてきたわけだ。

「その……ごめんなさい。こんな大事なことを黙ってて……ウチの目的のためとはいえ、何も知らない二人を騙すような真似をしちゃった。ここまで来ておいてなんだけど、ウチとのパーティーはここで解散しても大丈夫だから……」

どこか諦めにも似た様子でそう告げるニャム。

　すると、黙って聞いていたリーズが、口を開いた。

「何だ……そんなこと？」

「え？」

　予想していなかったリーズの言葉に、ニャムは目を見開く。

「別に、ニャムが今まで組んできたパーティーの人たちを害そうと思ったわけじゃないんでしょ？」

「も、もちろん！」

「なら、何も問題ないわ。ニャムは、困っている私たちに最初に声をかけてくれた。そして、こうして私たちに、自分と行動すると危険だって打ち明けてくれたじゃない」

「それは……！」

「理由はどうであれ、私にとって、それが一番重要なことで、パーティーを組むのには十分な理由よ」

　リーズの言う通り、ニャムは自分の弱点をさらけ出したのだ。

　それは彼女の善性であり、強い心の証（あかし）。

　そして裏切られた経験を持つリーズにとって、正直に打ち明けてくれたというのは、何よりも大切なことだった。

するとリーズは俺に視線を向ける。

「刀真も、問題ないわよね？」

「ああ。これも修行だな」

「しゅ、修行って……」

「……アンタは少し、修行から離れた方がいいわね」

「何⁉」

そ、そんなに修行ばかりしてるだろうか……？

……いや、してるな。

己の過去を振り返っていると、突然ニャムが噴き出した。

「ぷっ……あははは！」

「ニャム？　いいか、俺はそんな修行に明け暮れてる人間じゃ……」

「いくら言っても無駄よ。アンタと行動してれば、どうせすぐ分かることなんだから」

「むぅ⁉」

な、何も言い返せん……。

……俺も少し、別のことに目を向けた方がいいのか……？

割と真剣に悩んでいると、笑い終えたニャムが、目元の涙をぬぐった。

「あー面白かった……リーズっち、刀真っち、ありがと！」

「と、刀真っち？」

「……まあ好きに呼びなさい」

聞き馴染みのない呼び名に困惑する中、リーズはため息を吐いた。

するとニャムが元気よく手を挙げる。

「改めて、ウチを仲間に入れてくれて、ありがとね！　【不幸】だなんて呼ばれてるけど、罠解除の腕には自信があるから、ドーンと任せてほしいし！」

「ああ」

「よろしくね」

何とも明るい子が仲間になったな。

――――こうしてニャムを仲間に迎え入れた俺たちは、目の前のＤ級ダンジョンに足を踏み入れるのだった。

＊＊＊

「なるほど、こんな感じか……」

罠の知識があるニャムを先頭に、地下へ続く階段を下りると、そこには石造りの広い空間が広がっていた。

さらにその広間の床には、巨大な魔法陣が描かれている。

「これは……」

「ここはセーフティゾーン。各階層にこういった広間があるんだけど、このセーフティゾーンには、ダンジョン内の魔物は入ってこられないんだ」

「なるほど……安息地というわけか」

万が一、ダンジョン内で危険な目に遭っても、このセーフティゾーンに入ることができれば、まだ助かる可能性があるというわけだな。

「床の魔法陣だけど、これは国の宮廷魔法使いが描いたものだね」

「宮廷魔法使い……」

あれか、陽ノ国(ひのくに)の皇室が抱える魔法使いのようなものか。

「ちなみにこの魔法陣は、転移魔法ね。ほら、あそこに立っている人がいるでしょ？」

ニャムに促されて視線を向けると、部屋の隅に、どこかの所属を示す刺繍(ししゅう)が施された外套(がいとう)を着た人物が立っていた。

「あのローブを着てる人が、この国の宮廷魔法使いで、違う階に転移したい時は、お金を払えば、あの人たちにその階まで転移してもらえるよ。もちろん、各階に常駐してるから、各階すぐに帰りたい時も同じってわけ」

「ならば、いきなり五階層目に転移も可能なのか？」

「いや、それは無理！　転移させる対象者が到達したことのある階層にしか、転移できなかったはず……」

なるほど、そう上手い話はないわけだ。

「ただ、ウチは三階層まで転移できるから、同じパーティーである二人も、ウチと一緒なら三階層までは転移できるよ？」

「いえ、今回は一から挑戦したいから、その必要はないわ」

最初はやはり、自分の足でダンジョンを攻略したいからな。

ただし、途中で攻略を切り上げて地上に戻った場合、この転移魔法陣を使えば、二回目以降はお金を払い、切り上げた階層から出発できるというわけか……。

「国を挙げてダンジョン攻略を補助しているのだな」

「まあねー。やっぱりダンジョンは資源の宝庫だし、国によっては兵士たちの訓練にも使われてるらしいよ？　それに、ダンジョンがあれば自然と冒険者も集まるから、経済も回るってわけ。それでその冒険者たちに快適に過ごしてもらうため、こうして国がサポートしてるって感じ」

それにしても……魔法陣とはいえ、転移魔法は初めて見たな。

話だけは聞いていたが、俺は使えないし、師匠たちも使えなかった。

それは、この場にいる宮廷魔法使いの魔力を見て納得する。

……やはり、俺たちとは魔力の質が違うのだな。

転移魔法を使うには特殊な魔力を持っている必要があり、その魔力を俺は持っていない。

そのため、いくら努力しても転移魔法を習得することはできないのだ。

もし使えたら、移動が楽になるんだが……これぱかりは仕方がない。

何より、俺だけでなく、リーズやニャム、それどころか広間にいる冒険者たちを見渡しても、転移魔法を使える魔力の持ち主は、宮廷魔法使い以外に見当たらなかった。やはり、希少な人材なのだろう。

そんな魔法使いを各階層に常駐させるとは……アールスト王国の国力が見える上に、それだけダンジョン攻略に力を入れているのが分かるな。

そんなことを考えていると、リーズがふと気になったことを口にした。

「でも、こんなに人が多いと、広間を出たら大変なんじゃない？」

確かに、ざっと見ただけで数十人の冒険者が、このダンジョンに集まっているのだ。

「なるほど」

しかも、広間の先に続く道はそれほど広いようには見えない。

すると、ニャムは得意げに笑った。

「心配ないよ！　この広間に宮廷魔法使いの転移魔法が敷かれているように、この広間を抜けると、パーティーごとにランダムで層内の別々の場所に転移させられるんだ。ダンジョンがどうやってパーティーを見分けてるのかは分からないんだけど……」

「ほう？」

「それに、ダンジョン内は広いけど、それでもこれだけの人数が同時に攻略しちゃうと、道中で鉢合わせることもある。だから、その場合に応じた暗黙の了解があるんだけど……相手に襲い掛からないとか、そういった倫理的なことがほとんどだから、今は気にしなくてもいいかな」

ダンジョン内では罠に加えて、魔物の襲撃にも備える必要がある。

だからこそ、普段以上に緊張感が漂っているはずだ。

しかし、そこで人間と鉢合わせるとなると、何が起こるか分からない。

それに、ダンジョンを利用するのは、健全な冒険者だけではないだろう。中には、ダンジョンの性質を利用し、襲ってくるような下種(げす)もいるはずだ。

故に、冒険者同士の取り決めなどが存在している。

それにしても、部屋を抜けると強制的に転移するだけでなく、パーティーごとに転移させるとは……ますますこのダンジョンとやらには何者かの意思が感じられるな。

それが一体何なのかは、学者ではない俺には分からぬことだが、機会があれば調べておくことにしよう。

「それと、二人にはあらかじめ伝えてある通り、ウチは三階層までならどこからスタートしても分かるくらい、地図が頭に入ってるから安心して！　四階層以降も、情報は仕入れてるし、その場で地図を作成することもできるから！」

「頼もしいわね」

このD級ダンジョンがどれほど広いのかは分からないが、ニャムは頼りになるだろう。

こうして簡単にダンジョンの説明を受けた俺たちは、早速広間を抜け、一階層に足を踏み入れた。

その途端、一瞬だけ視界が歪み、体を不思議な魔力が包み込んだのを感じた。

拒絶することもできたが、この魔力はダンジョンの物だろうと推測した俺は身を任せる。

もしここで変に抵抗すると、リーズたちとは違う場所に飛ばされるかもしれないからな。

そんなことを考えていると、視界の歪みが消え、俺は石造りの通路に立っていた。

すぐにリーズたちの姿を確認すると、彼女たちも無事、転移できたようである。

そのまま後ろを振り向いてみると、先ほどまでいた広間は消えており、奥へと続く通路が延びているだけだった。

それにしても……この通路、壁や床のいたる所から妙な気配……というより、悪意のようなものが微かに感じられるが……。

通路を観察していると、リーズも同じように周囲を見渡す。

「ここが、第一階層？」

「そうだよ！　えっと、ここは――――え？」

しかしニャムが周囲を見渡し、状況を確認した瞬間、顔を青くした。

「どうした？」

青ざめるニャムに思わず声をかけると、ニャムは首を振る。

「う、嘘……どうしてこんなに罠が……！」

「何？」

「どういうこと？」

俺たちがそう訊くと、ニャムは青い顔のまま続けた。

「この場所……今まで見たことないくらい、罠が張り巡らされてる……」

「……なるほどな」

俺が感じた壁や床の嫌な気配は、罠によるものだったか。どうりで悪意が感じ取れたわけだ。

そして、ニャムの言葉が事実なら、この状況は異常なのだろう。

「う、ウチのせいだ……やっぱりウチがいるから――」

「落ち着きなさい！」

「！」

つい自責の言葉を吐くニャムに対し、リーズはそう檄を飛ばした。

「罠がたくさんあるってだけで、私たちにはまだ何の被害も出てないじゃない」

「で、でも……！」

「大丈夫よ。それに、ニャムは罠の解除が得意なんでしょう？」

安心させるようにそう告げると、ニャムはハッとした表情を浮かべる。

それに続く形で、俺も口を開いた。

「そうだな。俺たちだけなら骨が折れただろうが、今はニャムがいるんだ」

「二人とも……」

ニャムは目を潤ませると、すぐに気合いを入れ直す。

「……ごめん、弱気になってた！　罠の解除は、ウチに任せて！」

気持ちを新たにしたニャムは、自身の腰に下げた鞄から何らかの道具を取り出し、早速目の前に広がる罠の解除に取り掛かった。

そこからは圧巻で、ニャムは次々と罠を発見し、解除していく。

「あ、そこの壁、気を付けて！　押すと落とし穴が出てくるから！」

「分かったわ」

「後、大丈夫だと思うけど、少し進んだところの天井も気にかけといて！　そこの天井の罠が作動したら、向こうの天井が落ちてくるから！」

「……気を付けよう」

的確に罠の内容を見抜けるニャムは、それだけダンジョンの知識が豊富なのだろう。

しかも、一度も罠を誤作動させず、それでいて素早く解除する腕もある。

何より、移動する上で邪魔となる罠だけを選んでいるため、進む速度は思ったよりも順調だ。

「えっと……ここがこうだから、こっちを起動させれば……！」

「……すごいわね。罠なんて、私には何が何だかサッパリなのに……」

「強引に壊していいならともかく、罠を器用に解除するのは難しそうだな……」

俺が罠を壊すことはできても、何が起こるか分からないからな。

ニャムの手際の良さに感心していると、不意にその手が止まる。

「どうした？」

「……ごめん。この罠、解除するためには別の罠を発動させなきゃいけないみたい。無視できればいいんだけど、この罠は踏んで発動させるんじゃなくて、通り過ぎたら発動するタイプだから、避けることもできなくて……」

「ふむ……」

「それに、この避けられない罠はかなり凶悪で、発動したら、四方に壁が出現して閉じ込められる感じっぽい」

「……確かに凶悪ね」

「うん、だから、何としてでも解除しておきたいってわけ」

一応、何日分かの食糧は持ち込んでいるが、閉じ込められれば餓死してしまうだろう。

壁を壊せればいいが、ダンジョンが普通でない以上、どうなるか分からない。

ならば、ニャムの言う通り、避けるべき罠だろう。

「もちろん、発動させるための罠も決めてあるから！」

「ちなみに、その罠は？」

「矢が飛んでくるみたいだけど……何本飛んでくるのかまでは、分からないや。ごめん」

「いや、大丈夫だ。何が飛んでくるのか分かっていれば、対処は可能だからな」

「そうね。それに、ニャムの解析通りなら、閉じ込められるよりは全然マシじゃない」

俺たちがそう告げると、ニャムは申し訳なさそうにする。

「本当にごめん！　ウチのせいで、罠も凶悪になってて……」

「だから、謝らなくてもいいわよ！　さ、罠を解除しちゃいましょ」

「う、うん！」

「俺が対処するから、罠を起動したら、二人はその場にしゃがんでほしい」

「分かったわ」

そう告げると、ニャムは矢の罠を起動させた。

その瞬間、頭上と両脇の壁から、無数の矢が降り注ぐ。

それと同時に、俺が告げていた通り、二人はしゃがんだ。

「ハアッ！」

そして、あらかじめ矢が飛んでくることを知っていた俺は、魔力を巡らせ、闘気を練り、空気を打ち抜くつもりで、天井目掛けて掌底を放つ。

すると、俺を中心に衝撃波が広がり、飛んできた矢のすべてが、そのまま地に落ちた。

「ふむ……大丈夫だったな」

「す、すごい……」

「……アンタ、やっぱり規格外ね」

無事、矢のすべてを落とすと、ニャムは驚き、リーズは呆れた表情を浮かべた。

そしてすぐにニャムは正気に返ると、罠を確認する。

「……うん、ちゃんと解除できたみたい！」

「それならよかった」

「ただ……この先の罠も、別の罠を起動させないと駄目なものばかりになってる……」

「……それはまた……」

ニャムの言葉に、俺たちは眉を顰めた。

今までは普通に解除できていたのに、ここからは致命的な罠を避けるために、別の罠を必ず作動させないといけないというわけだ。

やはりこのダンジョンに意思があるのであれば、かなり意地の悪い存在だろう。

……いや、ある意味優しいのか？

ダンジョンが俺たちを本気で殺す気なら、解除不能かつ致命的な罠を設置すればいい。

だが、こうして解除できる以上、何とも言い切れなかった。

まあ罠を解除できたとしても、その様子を嘲笑っているようであれば、意地の悪いことに変わりはないか。

そしてニャムの申し訳なさそうな表情を見るに、やはりこの状況は異常らしい。

だが……。

「ニャム。今と同じように、君の判断でどんどん罠を起動させてくれ」

「え？　い、いいの？」

「ああ」

俺が自信をもって言い切ったこと、現に先ほど対処して見せたことで、ニャムは恐る恐るといったまま、罠を起動させた。

「そ、それじゃあ……来るよ！」

再びニャムが罠を起動させると、今度は通路の先から、槍が数本飛んできた。

「ちょっ……今度は槍⁉」

まさか矢ではなく槍が飛んでくるとは思いもしなかったため、リーズが驚きの声を上げる。

しかし、矢だろうが槍だろうが、関係ない。

「ハッ！」

先ほどと同じく、俺は正面に掌底を放つと、飛んできた槍はすべて掌底の衝撃波で撃墜された。

「よし、先に進もう」

「……ニャム。見ての通り大丈夫だから、安心しなさい」

「う、うん」

こうして俺たちは順調に進んでいくと、不意に生物の気配を感じ取る。

しかもその気配は、通路を少し進んだところにあり、普段の俺であれば、もっと早い段階で気づけただろう。

だが、こうして気づくのに遅れたのは、その気配がその場にいきなり現れたからだった。

その上、この気配……魔物のようだが、少し気配の質が違う。

生きているようで、生きていないというか……何とも曖昧な気配なのだ。

こんな気配の主を、俺は見たことがない。

何もなかった場所に、いきなり生物の……それも、俺が今まで対峙したことのない存在の気配を感じ取ったことで、俺は困惑しつつも、二人に伝えた。

「二人とも。この少し先に、生物の気配がある」

「えっ⁉　ほ、本当？　刀真っちを疑うわけじゃないけど、ウチも索敵には自信があったのに……」

「ニャム、戦闘に関して刀真のことは考えるだけ無駄よ」

……何故だろう。酷い言われような気がする。

それはともかく、俺はさらに情報を伝え続ける。

「ただ、妙なことに、その気配はいきなり現れたんだが……」

「あ、それって多分、そこに魔物が発生したんだと思うよ」

「発生？」

「うん。外の世界では魔物って他の生物と同じように増えたり、魔力が濃い場所で動物が魔物化したりすることで増えたりするじゃん？　でもダンジョンではいきなり魔力が集まって、魔物が生まれるってわけ」

「へぇ……だから魔物を倒しても、素材は手に入らないのね」

「そうなのか？」

「私も実際に見たわけじゃないから分からないけど、ダンジョン内で倒した魔物は消えていくらしいわ。その際、素材の一部を落とすことがあるそうよ」

「リーズっちの話してる通りだよ。外と違って、ダンジョン内の魔物は倒しても丸々その素材が手に入るわけじゃないんだー。その代わり、外の魔物から得られる素材よりも質が高いとか、悪いことばかりじゃないんだけどね」

「なるほど……」

何はともあれ、いきなり現れたのはこのダンジョンの魔物というわけか。

それに、この生きているのに死んでいるような気配というのも、ダンジョンの魔物の特徴なのかもしれない。

そんなことを考えていると、通路の先から先ほど感じ取った気配の主が姿を現した。

「グゲゲ」

現れたのは、一体のゴブリン。

気配が違うから、何か見た目も異なるのかと思ったんだが……外のゴブリンと大差ないように思えた。

現れたゴブリンを観察していると、ニャムがナイフを抜く。

「ここはウチに任せて！」

そう言うや否(いな)や、ニャムは一気にゴブリンとの距離を詰めた。

すると、ゴブリンはそのニャムを迎え撃つように、棍棒(こんぼう)を振り下ろす。

しかし、ニャムはその場から軽やかに跳んでその攻撃を避けた。

「『百獣戦闘術・馬の型』――――」

「グゲッ⁉」

「――――『疾風』」

そして天井を足場にすると、そのまま飛び下りて一気にゴブリンの首を斬り裂いた。

「ガッ⁉」

ゴブリンは短い断末魔を上げると、そのまま光の粒子となり消えていく。

するとその光の粒子の一部が、ニャムの体に吸い込まれていった。

「い、今のは……」

「あ、二人ともダンジョンが初めてだから、今のも初めて見る感じか。ゴブリンが消えたのはさっき説明した通りだけど、魔物を倒してあの光を体に吸収することで、強くなれるんだよ」

なるほど、あの光がダンジョンで強くなるためのものなのか。

一瞬のことであの光をちゃんと観察できなかったが、魔力でありながらも、これまた魔力とは少し違う気配だったのは分かった。

そして確かに、その光を吸収したニャムの体から、魔力が極僅（わず）かに増えているのを感じ取る。

「残念……ドロップアイテムはなかったねー。まあでも、ダンジョンの感じは分かったかな？」

「ああ」

「後はこの空間で戦うことに慣れるだけね」

リーズの言う通り、周囲には罠（わな）がたくさんあるため、それらを気にしながら戦闘するのはある程度の慣れが必要だろう。

その点、先ほどのニャムの戦闘はすごかった。

身のこなしにも驚いたが、足場にした天井も、的確に罠がない場所を使っており、着地も完璧だった。恐らく、何かしらの武術を修めているのだろう。

「ニャムの動きはすごいな。参考になる」

「……ウチなんて、まだまだだよ」

俺の言葉に対し、ニャムはどこか寂しそうに笑った。

ん？　今の表情は一体……。

気になるところだが、まだ出会ったばかりだ。踏み込んだ話は避けた方がいいだろう。

とはいえ、いつかはニャムが使っている武術をしっかり聞いてみたいものだ。

そんなことを考えていると、再び魔物の気配を察知する。

またもこの近くに現れたようだ。

その上……。

「すまん、また魔物が現れた。しかも、複数体だな」

「大丈夫よ。さっきはニャムが戦ったんだし、今度は私たちが――」

「いや、待て」

「え？」

俺は思わずリーズの言葉を制した。

何故なら――。

「……数がどんどん増えてるな。すでに十は超えたぞ」

「ええ!?」

なんと、魔物の気配が次々と現れるのだ。

「そ、そんな……Ｄ級ダンジョンの一階層で、三体以上の魔物が現れることはないはずなのに……！」

これまた罠と同じで、異常事態らしい。

しかも……。

「ふむ、背後にも現れたな」

「なっ⁉」

「……面倒ね」

俺とリーズがいつもの調子でそう話していると、ニャムは慌てる。

「ど、どうしてそんなに冷静なの⁉」

「まあ焦ったところで状況は変わらんからな。それに、リーズはA級冒険者だぞ？」

「あ、そ、それもそうだね」

「……期待してくれるのは有難いけど、油断はしないようにね」

「もちろんだ」

「う、うん！　そもそも異常事態だし、まだ何かあるかもしんないし！」

何とも不穏なことを口にするニャムだったが、そうこうしているうちに、前方から魔物が姿を現した。

「グゲェ！」

「ギャギャ！」

現れたのは、ゴブリンの集団。

しかも、先ほどとは異なり、数が多い上に、何体かは棍棒ではなく錆びた剣やボロボロの弓などを持っていた。

さらによく見ると、それらの武器を持っているゴブリンは、体に赤い線が走っており、妙に禍々しい。

「嘘……どうして一階層に上位ゴブリンが⁉」

「上位ゴブリン？」

「あの剣とかを持ってるやつよ。普通のゴブリンに比べて力も強いし、賢いわ。ただ、私が調べた限り、上位ゴブリンが出現するなんて情報はなかったんだけど……」

「なるほど」

「……それに、あの赤い線は見たことがないわ」

「何？」

てっきり、あの赤い線は上位ゴブリンとやらの特徴なのかと思ったのだが、リーズの話では違うようだ。

であるならば、いったい……？

すると、ニャムが表情を硬くしながら口を開いた。

「……あの赤い線は、通常の魔物より凶暴化している証。ウチがいると、必ず出現するんだ……」

「凶暴化？」

「そんな話、初めて聞くわね……」

困惑する中、その上位ゴブリンが声を上げる。

「グゲェ！」

「ギャギャギャ！」

「グゲア！」

その上位ゴブリンの声に合わせて、ゴブリンたちが突っ込んできた。

「来るぞ」

「う、うん！」

「後ろは任せなさい」

俺とニャムで前方のゴブリンを対処しに向かうと、リーズは手に雷を出現させる。

「消えなさいッ！」

そしてその雷が走ると、後方から迫っていたゴブリンの群れを一気に殲滅した。

凄まじい轟音に驚いたニャムが、ついリーズの方に視線を向け、驚きの表情を浮かべる。

「す、すごい……無詠唱であんなに強力な魔法を撃てるなんて……さすがA級冒険者
……」

「ゲェ！」

「っ⁉」

「──危ないぞ」

よそ見をしていたニャムに、ゴブリンが迫ると、俺はそのゴブリンの額に剣指を突き立てた。

「ご、ごめん！」

「後ろは気にするな。リーズなら大丈夫だから」

「そ、そうみたい……」

ニャムは改めて気を引き締めると、近くにいるゴブリンの首をはね飛ばす。

「せやッ！」

そして流れるように動き、時にはしなやかなその身のこなしで攻撃を避けると、ゴブリンたちを殲滅していった。

「フッ！」

そんな中、罠を起動させないように注意しつつ、俺も迫り来るゴブリンを剣指で倒していく。

本当は一気に吹き飛ばしたかったが、そのせいで罠を起動させてしまっては困るからな。

それよりも、俺はゴブリンの対処をしつつ、妙な違和感を覚えていた。

というのも、ゴブリンたちはどうもニャムを狙っているように思えるのだ。

故に、先ほどから俺はニャムに向かうゴブリンを処理している形になっていた。

なんだ？　やはり、ニャムの何かが、この状況を引き起こしてるのか？

心当たりがあるとすれば、ニャムの中に眠る妙な魔力くらいだが……。

何にせよ、ゴブリンたちはニャムに惹かれるように、群がってきている。

そんなことを考えながらも、どんどん敵を殲滅しつつ進んでいくが、なんと背後に新たな魔物が現れるのを感じ取った。

「リーズ！」

「分かってる！」

リーズは再び魔法を放つが、倒しても倒しても魔物が湧き出てくる。

「キリがないわね！」

リーズの言う通り、かなりの魔物を相手にしているが、終わりがまったく見えない。

なんだ、これは……まさか、無限に現れるとでも言うのか？

……いや、そんなことはない。

師匠も言っていた。何事にも終わりは存在するとな。

ともかく、この状況を切り抜けるため、俺とニャムで前方の敵を倒しながら進んでいく。

　すると、ニャムが声を上げた。

「この先にセーフティゾーンがあるから！」

「分かった！」

　俺たちはさらに殲滅の速度を速めて、突き進んでいく。

　そんな中、前方の上位ゴブリンの一体が、妙な行動に出た。

　その上位ゴブリンは他のゴブリンたちに攻撃を命令しつつ、ソイツ自身は周囲の壁を叩き始めたのだ。

「グゲ……」

「アレは……？」

　上位ゴブリンの奇怪な行動に、俺たちは首を傾げる。

　すると、何かを見つけたのか、上位ゴブリンはニヤリと笑い、壁の一部を殴りつけた。

　その瞬間、前方のゴブリンたちと、俺たちとの間に、巨大な岩が転がり落ちてきたのだ。

「なっ⁉」

　まさか、罠を使ったのか⁉

　想定外の行動に驚く中、出現した岩は、こちらに向かって転がってくる。

　もし俺たちがこの岩で潰されれば、背後にいるゴブリンも巻き添えになるのだが、そこまでは考えていないのだろう。

しかも、岩の向こうにいるゴブリンたちが、さらに新たな罠を起動させたのか、頭上や壁から、槍が大量に放たれた。

「ちょっ！　嘘でしょ⁉」

「そ、そんな……こんなことって……」

突然の事態に混乱するリーズとニャム。

だが、俺は冷静に転がってくる岩や、槍の嵐を見つめた。

……確かに、ゴブリンがダンジョンの罠を利用したことには驚いた。

だが、それだけだ。

俺たちの行く手を邪魔するならば、強引に押し通るのみ。

俺は拳を握ると、迫り来る岩を目掛けて突き出した。

「『覇天拳』！」

俺の拳は岩の終点を穿つと、そのまま岩を破壊する。

相手が罠を発動させたおかげで、こちらが派手に動いても新たに罠が発動する心配はない。

そして、岩を破壊した際に飛び散った破片に、続けて技を繰り出した。

「『破軍（はぐん）』！」

　岩の破片を撃ち抜くと、それを飛んでくるすべての槍にぶつけていく。

「きゃっ！」

「フッ！」

　しかし、数本は撃ち漏らしてしまい、ニャム目掛けて飛んできた。

　そこで俺は飛んできた槍を一本掴（つか）むと、そのまま手元で回転させ、他の槍に向けて回転させながら突き出した。

「『螺旋槍（らせんそう）』！」

　この技は、今俺が学んでいる【大廻槍法（だいかいそうほう）】の基礎であり、螺旋を描きながら槍を突く技だった。

　螺旋状の突きを繰り出すと、槍に風が纏（まと）わりつくのを感じる。

　その風を感じつつ、俺は向かい来るすべての槍を撃ち落とした。

「わぁ……」

　すると、俺の動きを見たニャムの感嘆する声が聞こえる。

　そして最後に、俺は岩の向こうにいた上位ゴブリンを見つけ、そいつ目掛けて槍を投擲（とうてき）した。

「――そこだッ！」

「ギェ⁉」

俺の投擲した槍は、そのまま風を螺旋状に纏い、一直線に上位ゴブリンへと向かっていく。

その際、他のゴブリンたちもその螺旋状の風に巻き込まれ、ズタズタに斬り裂かれながら、槍は上位ゴブリンを貫いた。

こうして前方の敵をすべて殲滅すると、後方で戦っているリーズに声をかけた。

「リーズ、走るぞ！」

「分かったわ！」

リーズはひと際強烈な雷を後方のゴブリンたちに浴びせると、そのまま駆け出す。

先にリーズを走らせ、俺が殿(しんがり)を務めながら先に進むと、ついにセーフティゾーンに到着した。

「はぁ……はぁ……な、何とかなった……」

「無事でよかったわ」

荒い息を整えるニャムは、目を輝かせた。

「す、すごい、すごいよ、二人とも！」

「え？」

「だって、全員怪我もなくここまでこられたんだよ⁉　それもこれも、二人が強いから……」

「それを言うなら、ニャムだって道を切り開いてくれたじゃない」

「ううん、リーズっちが後ろを護ってくれたから、ウチは前に集中できたわけで……」

「そうだな。リーズのおかげで前方を気にするだけでよかったから、かなり簡単に進むことができた」

　俺たちがそう告げると、リーズは少し頬を赤く染める。

「な、仲間なんだから当然でしょ？　それこそ刀真だってすごかったじゃない」

「あ、そうだ！　刀真っち、格闘術だけじゃなくて、槍術も使えるなんて驚いたよ！」

「まあ槍術の方は習い始めたばかりだがな」

「な、習い始めって……」

「言ってたでしょ？　戦闘で刀真について考えるだけ無駄だって」

「そ、そうだね」

「……」

　……こういう場合は、沈黙に限るな。

「それよりも、あのゴブリンたち、何だったのかしら？　赤い線もそうだけど、眼(め)が血走っていたというか、全体的に凶暴だったわね」

「……これも、ウチのせいなのかな？」

「ニャム……」

暗い表情を浮かべるニャム。

やはり、ニャムの中に眠る妙な魔力が原因なのだろうか？

「ニャム。君の魔力は人と違うようだが、何か心当たりはあるか？」

「え、そうなの？」

俺は魔力を直接視(み)ることができるので分かったが、リーズでも気づかなかったようだ。

すると、ニャムは俺の言葉に一瞬目を見開く。

「……一応、お父さんというか、ウチの家が特殊なんだけど……ウチには兄妹(きょうだい)がいるけど、特にウチみたいなことになってるなんて聞いたことはないから……」

「ふむ……」

確証がない以上、あまり踏み込んだことを聞くのも悪いな。

「何にせよ、気にする必要はない。これもいい修行になるからな」

「刀真の考え方はどうかと思うけど……でも、気にする必要がないってのは一緒よ。実際、ニャムのおかげで助かってる部分も多いわけだし」

「……うん、ありがと。ウチ、もっと頑張るね」

　ひとまずニャムの顔が少し明るくなったところで、リーズは俺たちが通って来た道に目を向けた。

「……そういえば、本当に魔物は入ってこられないのね」

　リーズの言う通り、少し時間が経ったが、魔物が部屋の中に入ってくる気配はなかった。

「それに、このセーフティゾーンには魔法陣はないみたいだけど……」

「えっと、全部のセーフティゾーンに宮廷魔法使いがいるわけじゃないよ！　特にこの一階層はセーフティゾーンも十か所くらいあるし……」

「なるほど……何にしても、こうして実際に体験すると、このセーフティゾーンは有難いわね」

「うん。ただ、D級ダンジョンには比較的多くのセーフティゾーンがあるけど、上級ダンジョンになると、セーフティゾーンの数も激減するんだって」

「魔物だけじゃなく、環境的にも上級に相応しいレベルになるわけね」

　そんな二人の会話を耳にしつつ、俺はセーフティゾーン内を見渡していた。

　特に変わったところもない、普通の石造りの小部屋で、先に進むための通路が二つある。

俺やリーズにはどちらの道を進めばいいのか分からないが、ニャムなら分かるだろう。

ただ、このセーフティゾーンだが、壁のとある一か所から妙な魔力を感じていた。

「ニャム」

「ん？　何？」

「このセーフティゾーンには、罠などはないはずだな？」

「え？　そ、そうだけど……」

「どうしたの？」

「……あの壁の一部に妙な魔力が視えてな」

「え⁉」

俺の言葉に驚くニャム。

「ただ勘違いしてほしくないのだが、罠から感じられるような、嫌な魔力ではないんだ」

「それって一体……」

リーズも理由が分からず困惑していると、ニャムが何かを思い出したように声を上げた。

「も、もしかして……刀真っち！　その魔力がどこにあるか分かる⁉」

「……ここだな」

俺は壁際に移動すると、魔力の感じられる部分を示した。

するとすぐにニャムがしゃがみこみ、その壁を念入りに調べ始める。

そして――――。

「やっぱり……！　これ、隠し部屋のスイッチだよ！」

「隠し部屋？」

「うん！　罠とかはないから、押してみるね！」

ニャムはそう言うと、俺が示した部分に手を触れ、その石の部分に力を入れた。

すると、そこの部分だけ壁が押し込まれ、部屋全体に鈍い音が響き始める。

少し経つと、セーフティゾーンの壁の一部が震動し、その部分が下へと下がった。

その結果、壁の先に小さな小部屋が現れ、その部屋の中央にポツンと豪華な箱が置かれていた。

「これって……！」

それを見て、リーズは目を見開く。

「刀真っち、すごいよ！　これ、宝箱だよ！」

「宝箱？」

「うん！　ダンジョンには時々こうして宝箱が置かれてるんだけど、その宝箱の中には、ダンジョンでしか手に入らないアイテムが入ってるんだよ！」

「それこそ、私の持ってるマジックバッグみたいなアイテムがね」

「おお！」

となれば、俺もマジックバッグが手に入るかもしれないというわけか！

「でも何よりすごいのが、この一階層でそれを見つけたってこと！」

「そう、なのか？ ここはD級ダンジョンで、一階層はそこまで難易度が高いわけじゃないんだろう？」

「その通り！ だからこそ、もう一階層は調べ尽くされてて、一階層にはもう宝箱がないってなってたんだよ。でも、こうして見つかったからすごいってわけ！」

なるほど……確かに、宝箱がないと思われていた場所から見つかったとなると、驚くのも無理はないな。

早速ニャムは小部屋に入ると、部屋と宝箱を確認する。

「……うん、どこにも罠はないね。そ、その、ウチが開けてもいい？」

「ああ」

「大丈夫よ」

「それじゃあ……！」

緊張した面持ちでニャムが宝箱に手をかけると、そのまま箱を開ける。

すると……中には三つの腕輪が入っていた。

「これは……」

俺はそれが何なのか分からず、首を傾げていると、ニャムとリーズは目を見開いた。

「う、嘘！　これって……」

「す、すごい、すごいよ！　これ、【伝音の腕輪】だよ！」

「【伝音の腕輪】？」

「そうよ。腕輪の宝石部分に、この腕輪を持っている人同士で魔力を登録しておけば、遠く離れていても声のやり取りができるのよ」

「しかもこれ、宝石が緑色だから……た、たぶんこの王都全域の距離でも繋がるはずだよ！」

「おお……！」

正直、マジックバッグでなくて残念な気持ちもあったが、これはこれでとんでもない代物なのは理解できた。

これがあれば、万が一、リーズが一人の時に魔族に襲われたとしても、急いで駆け付けることができる。

「それに、ちょうど三つって……もしかして、パーティーに合わせたアイテムが出るの？」

「う、うん。ウチも宝箱を見つけたのは初めてだから、聞いた話でしか知らないけど……宝箱からは見つけたパーティーに合わせたアイテムが出るらしいよ」

「何にせよ、いい物が手に入ってよかったな。早速三人でつけよう」

俺がそう言うと、ニャムは表情を暗くする。

「で、でも……いいの？　ウチのせいで皆に迷惑がかかってるのに……だから二人はそのままつけて、ウチのは売ってお金にした方が……」

「何言ってるのよ。三人で見つけたから三つなんでしょ？」

「そうだな。それに、俺たちは仲間なんだ。君にも腕輪を受け取る資格がある」

「……そっか、ありがと」

ニャムは嬉しそうに腕輪を受け取った。

それを見て、リーズが呆れたように続ける。

「ニャムは謝ったり、感謝したり忙しいわね」

「そ、それは……！　ご、ごめん、気を付ける」

「ほら今も」

「あ！」

からかうように笑うリーズを見て、俺は安心した。

今まで人を遠ざけるように生きてきたリーズだが、こうして再び仲間を得る道に進んでいる。

人から避けられていたニャムと、人を避けてきたリーズか……。

この二人の出会いは、とてもいいものになったようだ。

そんなことを思いつつ、俺は二人に声をかける。

「それで、この後はどうするんだ？　当初の予定では、ダンジョンの雰囲気を確認するだけだったが……」

「そうね……こうしてアイテムも手に入ったんだし、今日は帰りましょう。ちなみに、ここから魔法陣があるセーフティゾーンまでどれくらいかしら？」

「えっと……うん、そんな遠くないかな！　……まあ無事に進めたらって話だけど」

「ニャム」

「あぅ……ご、ごめん」

「……はあ。その自己肯定感の低さは、一緒に直していかないとね」

呆れた様子でリーズがそう告げると、ニャムは勢いよく顔を上げた。

「え！　ウ、ウチとまたパーティーを組んでくれるの⁉」

「当たり前じゃない。こんなに優秀な斥候、中々いないわよ。それに、前衛の刀真に遊撃のニャム、そして後衛の私でパーティーバランスもいいしね」

「そうだな。今回は確認だけだったが、できればこのD級ダンジョンくらいは完全踏破したいところだ」

「まあどれくらいこの街に滞在するかは分からないけど、D級ダンジョンで強くなれる上限くらいには達しておきたいってところかしら？」

リーズにそう言われたところで、ふと自身の体に意識を向ける。

そういえば、先ほどはあの状況を抜け出すことだけ考えていたため忘れていたが、結構な数のゴブリンを倒したはずだ。

生憎、ドロップアイテムとやらは拾う暇こそなかったが、俺たちが倒すたびに、あの光の粒子が体に取り込まれていたのは覚えている。

ただ、それに意識を割く暇がなかったのだ。

「ふむ……確かに魔力が増えているな」

「心なしか、身体能力も上昇した気がするわ」

どちらも極僅かとはいえ、強化されているのは間違いなかった。

この変化を何と言えばいいのか……。

リーズから学んだ魔力運用法などを使うことで、魔力は増やすことができる。

身体能力に関しても、体の筋力鍛錬をすれば、上昇するだろう。

しかし、このダンジョンでの強化は、そういった過程を吹き飛ばし、体の根本から作用しているようなのだ。

例えば本来、筋力は使わなければ衰えていく。

それは魔力も同じで、普段魔力を使用していない人間は、魔脈が衰え、魔力の通りが悪くなるのだ。

だが、たとえ筋力や魔力を使わなくなり、衰えようとも、このダンジョンで身に付けた力は永久に作用するだろう。

つまり、身体能力と魔力、共に基礎値を底上げするといった感じだった。

確かに冒険者たちがダンジョンに潜るのも頷けるな。

たとえアイテムが手に入らずとも、こうして強くなれるのであれば、皆利用するだろう。

故に、国が厳しく管理しているわけだな。

人を確実に強くできる場所だからこそ、敵国に利用される可能性もあるわけだ。

俺とリーズが体を確認していると、ニャムが驚く。

「ふ、二人ともすごいね。Ｄ級のダンジョンでの強化なんて、極僅かすぎて普通は気づかないけど……」

「刀真から近接戦を学んだおかげね。最近、体の感覚が鋭敏になったのよ」

「それはいいことだな」

体の感覚が研ぎ澄まされれば、気配も読めるようになる。

魔族から狙われているリーズにとって、非常に有益だろう。

「確かに、さっきの戦いでの刀真っちはすごかったもんね」

「それを言うのなら、俺はニャムの身のこなしにも興味があるな」

ニャムの動きからは、確かに体系化されたもの……つまり、何らかの武術的な要素を感じたのだ。

すると、ニャムは苦笑いを浮かべる。

「さすがだね。でも、ビースターなら普通のものだよ」

「そうなのか？」

「うん。ウチの国――【百獣国（ひゃくじゅうこく）】では、国民全員が【百獣戦闘術】を学ぶんだよ」

「国民全員⁉」

予想外の言葉に、俺は驚く。

するとリーズも初耳だったようで、眼（め）を見開いていた。

「アールスト王国と同じで、百獣国も武が盛んな国だってことは知ってたけど……まさか、国民全員とは思いもしなかったわ」

「まあそこに住んでたウチからすると、普通のことなんだけどね。ただ、全ビースターが百獣国出身ってわけじゃないじゃん？　だから、他の国で生まれたビースターは、使えないと思うよ」

「そうか……」

「ともかく、私はその【百獣戦闘術】を使えるってわけ！　……まだまだだけどさ」

なるほど……ニャムの身のこなしの理由が分かり、俺は納得した。

それにしても、ニャムの動きはかなりのものだと思ったが、達人ともなるとどうなるのか……非常に気になるな。

「さて……ある程度休憩も済んだし、地上に戻りましょ」

話を切り上げたリーズに従い、再びダンジョンの探索を再開する。

また様々な罠に襲われたが、何とか無事に魔法陣まで辿り着き、俺たちは地上に帰還したのだった。

＊＊＊

地上に帰ると、すっかり外は暗くなっていた。

「すっかり夜ね……」

「えっと……ダンジョンには昼過ぎくらいから挑戦したから、大体五時間くらいかな？」

そう言われると、結構長いこと潜っていたように思えるな。

「さてと……今日はここで別れるわけだけど、ニャムは明日も来られるのよね？」

「も、もちろん！」

「それじゃあ明日も同じくらいの時間で、この場所に集合しましょ」

「うん！」

俺たちは明日の予定を約束すると、ニャムはこちらに手を振りつつ去っていった。

その様子を見送りながら、俺は口を開く。

「いい仲間ができたな」

「……そうね。さ、私たちも戻りましょ」

俺たちも宿に戻るため、移動を始めた。

そして路地裏に入り、宿の近くまでやって来ると、不意に妙な気配を感じ取る。

「……何だ？」

「どうしたの？」

突然足を止めた俺に、リーズが不思議そうな表情を浮かべた。

「……誰かが襲われてる」

「なっ！」

耳に重点的に魔力を流し、聴力を強化すると、遠くで剣らしきものを振るう音と、微(かす)かな悲鳴が聞こえたのだ。

「行きましょう！」

人が襲われていると聞くや否(いな)や、リーズはその場所へ走り出す。

ひとまず魔族ではなさそうだが……。

俺も警戒しながらその後を追った。

そして――――。

「なっ⁉」

なんとそこには、黒と紫の禍々(まがまが)しい靄(もや)を身に纏(まと)う一人の騎士が立っており、それに相対する形で、一人の男性が尻もちをついていた。

そして、その騎士は剣を振り上げ、今にも襲い掛かろうとしている。

「止(や)めなさいッ！」

『！』

リーズが咄嗟に『雷閃』を放つと、騎士はすぐさまその攻撃を察知し、飛び退いた。

だが、すぐさま凄まじい勢いで踏み込むと、再び男性へと斬り掛かる。

「させるかっ！」

俺は男性と騎士の間に滑り込むと、魔力と闘気で腕を強化し、そのまま剣を受け止めた。

だが……。

「ぬっ⁉」

その一撃の重さに、俺は驚く。

なんだ、この力は……！

俺を押し潰さんとする勢いで振られたその剣に、俺は思わず膝をつきそうになった。

あまりの威力に、足元の地面は砕け散り、陥没する。

そこですぐに魔力を全力で駆け巡らせ、体を強化すると、騎士の剣を押しのけた。

「はあああっ！」

『――』

しかし、騎士は俺の動きを察知すると、流れるように力の方向を変えてくる。

そして、俺の力をいなすと、再び男性に襲い掛かろうとした。

「くっ！　行かせるかッ！」

俺は騎士の動きに反応すると、そのまま【崩天(ほうてん)】を繰り出す。

その攻撃に対し、騎士は咄嗟に剣を構え、防いでみせると、そのまま威力を殺すように飛び退いた。

この騎士……。

『！』

「刀真！」

「大丈夫だ」

目の前の騎士の実力に驚いていると、リーズが駆け寄ってきた。

すると、そんな俺とリーズを見て、騎士は剣を下ろす。

そして、まるで闇夜に溶けるよう、その場から去っていった。

「な、何だったのよ……」

「――――あ、あの！」

消えた騎士を見て、リーズが呆然(ほうぜん)としていると、不意に声がかけられる。

声の方に視線を向けると、そこには桃色髪の男性が立っていた。

全体的に人の好(よ)さそうな気配が漂っており、戦う人間には見えない。

この人物こそ、先ほど騎士に襲われていた張本人だ。

「大丈夫でしたか？」

「は、はい！　助けていただき、ありがとうございました！」

勢いよく頭を下げる男性。

「いえ、間に合ってよかったです」

「それで、何があったんですか？」

そう尋ねると、男性は困惑した表情を浮かべる。

「そ、それが、私にも何が何やら……」

「何か襲われるような心当たりは？」

リーズが重ねてそう訊くと、彼は首を振る。

「まさか！　私はしがない花屋ですよ？　あんな物騒な人物に狙われる心当たりなんてありませんよ！」

「花屋……」

よく見ると、彼の周囲には花が散らばっていた。恐らく、襲われた際に落として、ぐちゃぐちゃになったのだろう。

そんな観察をしていると、男性はハッとする。

「あ、すみません……私、サイオンと申しまして、ここら辺に住んでるんですけど、普段は大通りで花屋を営んでおります。それで仕事帰りにここを通っていたら、あの騎士に突然襲われまして……お二人が通りかかっていなければ、どうなっていたことか……」

「なるほど……」

不安そうな表情を浮かべるサイオンさん。

一見すると、確かに襲われる理由はないように見える。

だが俺は、この男性に対して妙な違和感を覚えていた。

というのも、この男性からは生気がほとんど感じられないのだ。

決して生気がないわけではないが、普通の人に比べて、薄いのは間違いない。

そして何より、彼の体内に流れる魔力。

その魔力の奥底に、何か異質なものを感じ取った。

ニャムの時は、そこに神聖さを微かに感じ取れたが、この男性に関しては奥底に眠るものが何なのか、見抜くことができない。完璧に隠れているな。

それにしても、この違和感はなんだ……？　魔力の底にある異質なものは一体……そもそも、自身の魔力がおかしいということに、サイオンさんは気づいているのか？

ニャムもそうだったが、特殊な魔力を持つ人間は多いのだな。世界は広い。

冷静に男性を見つめていると、リーズが口を開く。

「ねえ、刀真。さっきの騎士って、ギルドで聞いた亡霊騎士なんじゃない？」

「……その可能性は高いな」

対峙して分かったが、あの騎士から漂う気配は異常だ。

死の穢れのようなものを強く感じたからな。

しかし、それ以上に驚いたのは、騎士の剣の腕である。

あれは、間違いなく達人だ。それも、テンリン師匠と同等の……。

すると、俺とリーズの会話を聞いていたサイオンさんが、驚きの声を上げた。

「あ、あの失踪事件の犯人ですか⁉」

「え？　あの事件の犯人は亡霊騎士なの？」

俺たちはそこまで詳しいことは知らなかったため、そう訊くと、サイオンさんは頷く。

「え、ええ。夜な夜な亡霊騎士が現れるようになった時期と、住民が失踪し始めた時期が完全に同じなんですよ……」

「なるほど……」

確固たる証拠はないが、状況的にみると、確かに亡霊騎士である可能性は高そうだ。

「何はともあれ、本当に助かりました。今度お店に来ていただければ、お礼をしますから！」

「気を付けてくださいね」

「そちらも！」

つい考え込んでいると、サイオンさんはそう言い、立ち去って行った。

「何だかきな臭いわね」

「……そうだな」

サイオンさんの背中を眺めながらそう答えた後、俺たちは宿へと帰還するのだった。

第四章

――初めてのダンジョン探索から数日。

俺とリーズは、ニャムと共に毎日ダンジョンに挑戦し続けた。

その結果、俺たちは四階層にまで到達したのだが……やはり罠(わな)の凶悪性や、魔物の凶暴化は相変わらずだった。

とはいえ、そのおかげもあってか、一つの目標であったＤ級ダンジョンでの成長限界に達することができたのだ。

他にも、ダンジョンに関連する依頼を受けたことで、俺とニャムはＣ級冒険者になるための試験を受ける資格を得ることができた。

実はＣ級冒険者になるためには試験があり、その試験というのが、盗賊の討伐依頼を受けるというものだったのだ。

冒険者ギルドとして、上位の階級に上がるためには、対人戦は避けて通れない。

それこそ、Ｃ級から受けられる護衛依頼など、盗賊を相手にすることも普通にあるだろう。

故に、その時に動けるかどうかを判断するため、盗賊討伐が試験として課されるわけだ。

ただ、現状特に盗賊の話はこの王都付近では出回っておらず、俺とニャムはひとまず保留状態となっていた。

まあギルドの階級が上がると、受けられる依頼の難易度が上がって報酬も増えるため、多少興味はあったが、さほど急いでいないため、保留でも問題ない。

それよりも今は、ダンジョンを完全制覇することの方に注力していた。

とはいえ、ここ数日ダンジョンに籠もりっぱなしだったということもあり、この二、三日は休日となった。

その休日に俺はというと――――。

「――――『螺旋槍』！」

手元の柄を握り込み、螺旋を描くように突く。

すると、手にした槍は螺旋状の風を纏い、目の前のドゥエル師匠に襲い掛かった。

だが、ドゥエル師匠は慌てた様子もなく俺の一撃を見つめると、まるで踊るような足取りで、軽やかに躱してみせる。

――そう、道場に顔を出し、ドゥエル師匠と模擬戦をさせてもらっていたのだ。

「いい突きだ」

「くっ！　『渦突き』！」

そんなドゥエル師匠を追い詰めるため、俺は【大廻槍法】の魔力運用法を意識しつつ、距離を詰めると、今度は『螺旋槍』を渦を描くように連続で放つ『渦突き』を繰り出した。

「基礎に忠実な、連続突き……素晴らしい」

しかし、やはりドゥエル師匠にはかすりもせず、彼は悠々と避ける。

そして――――。

「――だが、正直すぎる」

「ぐっ⁉」

突然、ドゥエル師匠の歩の拍子が変化すると、攻守が逆転し、怒涛の攻撃が飛んできた！

俺は手元で槍を回転させ、ドゥエル師匠の攻撃を捌き続ける。

だが――――。

「甘い」

「ぐあっ⁉」

防いだと思ったところ、槍に触れる瞬間に軌道を変えてきたのだ！

まさに変幻自在。

しかも、穂先は常に渦を描くように揺れ続け、突きの軌道が読めないのだ。

それでも何とか、ドゥエル師匠の魔力の流れと筋肉の動きから技を予測するものの、その一手先を突かれ、対処が遅れ続ける。

そんな怒涛の連撃を繰り広げているドゥエル師匠本人は、まるで踊るように動いていた。

「『大廻演武』」

技と技の間、絶え間なく動き、すべてが回転しながら繋がっていく。

まさに、演武と見紛う美しき槍捌きだった。

ドゥエル師匠の美しい槍術に対抗する俺は、何とも無様というか、荒々しく、とても美しいとは言えない。

こうして必死に喰らいつこうとする俺だったが、その甲斐も虚しく、数瞬後にはボロ雑巾のように転がされていた。

「はぁ……はぁ……ま、参りました……」

極限まで集中していたことで、俺は息を荒らげているのだが、ドゥエル師匠は汗一つ流さず、涼しい顔をしていた。さ、さすがだ……。

ある程度息を整えた俺はすぐに起き上がり、訊ねる。

「その、どうでしたか？」

「そうだな……基礎を忠実に守っていて、いい突きだった。ただ、まだ【大廻槍法】の魔力運用に慣れていないせいか、動きにぎこちなさがあったな」

「やはりそうですか……」

「だが、それらは時間が経てばおのずと解消されるものだ。何より君は、異なる武術ですでに【神髄】へと至っている。だから体の動きはすぐに覚えてしまうし、恐ろしいくらいの習得速度だよ」

「ありがとうございます」

ドゥエル師匠との修行の中で、俺は【覇天拳】や【降神一刀流】の技術を使わず、完全に一から【大廻槍法】を学んでいる。

とはいえ、体の動きやちょっとしたコツは、【覇天拳】や【降神一刀流】を学んだ経験から、自然と導き出されるため、大いに助かっていた。

それでもまだ慣れない【大廻槍法】の魔力操作に苦戦するが、成長が実感できるため、とても楽しい。

「いつかは槍ではなく、君の全力と戦ってみたいものだ。その時は今とは逆で、私が転がされているかもしれないがね」

「……その際はぜひ」

ドゥエル師匠ほどの達人との戦闘経験など、そう得られるものではない。

とはいえ、今は【大廻槍法】を習得するのが先だ。

そんなことを考えていると、ふとドゥエル師匠が何かを思い出す。

「そういえば、刀真君は今度の【剣天聖覇祭】は見に行くのかい？」

「【剣天聖覇祭】……ですか？」

聞き馴染みのない祭りの名に思わず聞き返す。

祭、と付くくらいだから、祝い事なのだろうが、その前の単語が物々しい。

しかし、こうしてわざわざ訊いてくるということは、その祭りには何かあるのだろう。

そう思っていると、ドゥエル師匠は教えてくれた。

「剣天聖覇祭は、この国の英雄である初代剣聖……クラウゼン・ボルトの生誕を祝い、戦いを捧げる祭りだ」

「へぇ……」

「ちなみに百獣国の【獣神武闘大会】、スパイア王国の【グランド・マスターズリーグ】と並んで、【世界三大武闘祭】の一つに数えられている」

どうやら、似たような祭りが他の国にもあるらしい。聴いているだけでも楽しくなるな。

それと、百獣国についてだが、あれからニャムにもう少し詳しく聞いていた。

ニャムによると【百獣戦闘術】の最高位である総師範が、まさに国王の百獣帝なんだそうだ。

それほどに武と密接に関係した国なら、獣神武闘大会とやらは盛り上がるだろう。

「そんな三大武闘祭に数えられる剣天聖覇祭だが、他の大会とは少し毛色が違う。というのも、三大武闘祭を含めて、世界には武を競う大会がいくつか存在するが、他の大会では出場者の制限がない中、この剣天聖覇祭では、各国の王族によって選ばれた代表者だけが出場し、戦うことになっているからだ。そして、あくまで初代剣聖に捧げる戦いだからこそ、優勝者のようなものは存在しない」

「なるほど……」

あくまで、初代剣聖の生誕を祝い、武を捧げる儀式的意味合いが強いんだな。

「だが、それでもここは【剣聖】の誕生の地。各国は選りすぐりの精鋭たちを送り出し、それぞれが激しい戦いを繰り広げるんだ。見ているだけで勉強になるだろう」

「おお！」

ドゥエル師匠の言葉に、俺は目を輝かせた。

だが、続く言葉で俺は少し身を硬くした。

「しかも、今年からはかの陽ノ国(ひのくに)の人間も参加するらしい」

「！」

そんな俺の様子を見て、ドゥエル師匠が気づく。

「そういえば、刀真君も陽ノ国人だったな。陽ノ国からどんな人が来るのか、予想できるかね？」

「いえ……誰が来るのかまでは分かりませんが、国の精鋭というのであれば、【七大天聖(ななだいてんせい)】は来るでしょうね」

「ふむ……聞いたことはないが、響きからして強そうだ」

「ちなみに、他にはどんな人が参加されるんですか？」

「当然、開催国であるこの国からは、【剣聖(けんせい)】が出場するだろうな」

「【剣聖】……！」

あのアールスト王国剣術を作ったとされる人物から、脈々と受け継がれてきた称号だ。

強いのは間違いないだろう。

「他にも、今年は百獣国の百獣帝も参加すると噂になっていたな」

「以前は参加していなかったんですか？」

「ここ数年はね。何でも、出場する面々も実力も、代わり映えがしないという理由で断っていたそうだ」

「な、なるほど……」

毎年行われているのなら、そう大きな変化はない……のだろうか？

一年もあれば、大きく躍進する者も出てきそうなものだが……。

「しかし、今年は陽ノ国も参戦するからね。百獣帝も陽ノ国の戦士が気になるのだろう」

そんなドゥエル師匠の言葉を聞いて、俺はふと考える。

陽ノ国の現皇帝陛下も強かったはずだが……果たしてどちらが強いのだろうか。

ドゥエル師匠の話では、戦うのはその国の騎士や戦士で、一国の王が出てくることはほとんどないだろうが……気になるところだ。

「何はともあれ、各国の実力者が集まることは間違いない。今までで一番の盛り上がりを見せるだろうから、観に行くと面白いだろう」

「ありがとうございます！」

こうしてドゥエル師匠からいい話を聞けた俺は、早速リーズたちにも伝えて、一緒に観戦に行くことが決まるのだった。

＊＊＊

――剣天聖覇祭当日。

街はいつも以上に賑わいを見せていた。

さらに、普段は見かけないような出店を始め、すっかり祭りの雰囲気一色となっていた。

そんな中、俺とリーズはニャムと合流すると、会場である闘技場へと向かう。

「うわぁ……すごい人ね……！」

するとそこには、今大会を観ようと、多くの観客が押し寄せていた。

よく見ると、いつもよりビースターを多く見かけたり、中には陽ノ国人らしき格好の人物も見かけた。

……以前、リーズの話では、陽ノ国が出国制限をしていると言っていたが……この大会に陽ノ国が参加するからか、一時的に解除したのだろうか。

心配ないとは思うが、万が一、俺のことを知る人間がいると面倒だ。

俺は意識的に、いつも以上に気配を溶け込ませた。

「ひとまず席を取りましょう……って刀真は？」

「ここだ」

「うわぁ!?　び、びっくりしたぁ……」

「……何でいつもより気配が薄いのよ。この人混みじゃはぐれるでしょう？」

「少しな……まあ気にしないでくれ」

とにかく三人で会場内に入ると、席を確保することに成功する。

「ふぅ……何とか座れたわね……」

「うん……ここに来るだけで疲れたし……」

「……」

二人がそんな会話をしている頃、俺は観客席を覆う不思議な魔力の膜を見つめていた。

「リーズ。この闘技場と観客席を隔てる魔力の膜が何なのか分かるか？　この間、ここに来た時はなかったんだが……」

「あー……たぶん防御魔法じゃないかしら？　ほら、今日はいつもと違って、実力者同士が戦うわけでしょ？　だから、観客に被害がないようにしてるんじゃないかしら？」

「なるほど」

確かに。普段の闘技場での戦いは、観客に影響が出るほどのものではない。

しかし、ドゥエル師匠のような人物同士が本気で戦えば、防御魔法のない観客席などすぐに吹き飛ぶだろう。

そんなことを考えつつ、改めて客席を見渡していると、少し高い位置に、俺たち平民とは身なりの異なる人物たちが座っているのが見えた。

「あそこは……」

「あれは貴族たちの席ね」

やはり上流階級の席だったようで、そこには王族や貴族に加えて、警護のための兵士も控えていた。

そして――。

「！」

俺の視界に、陽ノ国の現皇帝――陽龍天義陛下の姿が映る。

まさに、俺の【極魔島】への追放を決定したその人だ。

しかもその背後には、紫位を示す羽織を着た人物が三人……恐らく【七大天聖】だろう。

ということは、父上も……。

ついその陛下たちの周辺に視線を彷徨わせるが、父上の姿は見えない。どうやら、【七大天聖】はあそこにいる三人だけのようだ。

「ん？　どうかした？」

「……いや、何でもない」

父上がいないと分かると、自然と入っていた力が抜け、その様子を見ていたリーズに不思議そうな顔をされてしまった。

――もし父上を目にしたら、俺は何を感じるだろう。

怒りだろうか。悲しみだろうか。

……恐らく、何も感じないだろうな。

ならば父上は、俺を見たら何を思うだろうか。

……父上は、俺を激しく罵倒するだろう。

それは皇帝陛下も同じだ。

俺が生きていると分かれば、殺しにかかるはずだ。

目立たぬよう、気を付けねば……。

そんなことを考えているうちに、ついに剣天聖覇祭が幕を開けた。

最初に簡単な規則の説明があり、続いて開催国であるアールスト国王の挨拶が終わると、ついに戦いが始まる。

最初に登場したのは、この国の騎士団で副団長をしている、アルフォス・イステンという男性だった。

若いが、一目見ただけで彼が強いのが分かる。

それに対して登場したのは、このアールスト王国と国境を接するプライネ王国の騎士団長、ネグマ・ボルケという者だった。

いざ試合が始まると、激しい剣撃が繰り広げられる。

ネグマさんの剣術は、手数を重視しており、怒涛の攻撃でアルフォスさんを追い詰めているように見えた。

しかし、実際はアルフォスさんがその剣で華麗に防ぎ、隙を一切見せないため、攻めあぐねている。

そんな堅牢な剣術を前に、ネグマさんが焦りを見せると、その隙を逃さずアルフォスさんが反撃した。

そこからは一瞬で、ネグマさんは主導権を取り返すことができず、最終的にアルフォスさんが勝利するのだった。

「強いな」

「そりゃあね。この国では【剣聖】が有名だけど、あの方も【麗剣】と呼ばれる実力者なんだから」

「確かに、綺麗な動きだったかも……」

　ニャムの言う通り、アルフォスさんの剣術は一つ一つの動作が綺麗だった。

　元々、アールスト王国剣術が無駄のない剣であるため、余計に動きが際立つのだ。

　それにしても……初戦からかなり高度な戦いだったな。

　かなり激しい戦いだったため、その魔力運用法を把握することは叶わなかったが、間違いなくいい経験になっている。

　こうして次々と戦闘が行われていくと、気になる対戦が始まった。

　その対戦では、ついに陽ノ国の【七大天聖】第六位の――陸冬雪斎が登場する。

　そしてその対戦相手は、なんと――百獣国の王、百獣帝ライゼウス様だった。

「ッ！」

「まさか、本当に一国の王が参戦するとはな……」

　百獣帝……ライゼウス様が参加する噂は聞いていたが、それでもこうして本当に出場するとは思いもしなかった。

　しかし、ライゼウス様のように戦える陽ノ国の皇帝は、恐らく出場しないだろう。

　どんな戦いになるのか楽しみにしていると、ニャムの様子がおかしいことに気づいた。

「ニャム？　どうかしたか？」

「……」

そう声をかけるが、ニャムは答えず、ただジッとライゼウス様を見つめていた。

そのライゼウス様だが、真っ白な鬣のような髪を荒々しく伸ばしている壮年の男性で、全身から白い燐光を発している。

何より全身が極限まで鍛え上げられており、遠目から見ても体が大きいのが分かった。

そんなライゼウス様の姿を見て、リーズが驚く。

「さ、流石百獣帝……魔力が可視化できるほど濃密だなんて……」

そう、ライゼウス様の白い燐光の正体は、ライゼウス様の体から溢れ出る魔力に他ならなかった。

ただ魔力が溢れ出るだけであれば、このように目に見えはしない。

だが、ライゼウス様の魔力はあまりにも濃密で、俺のように特殊な眼がなくとも、見えてしまうのだ。

そんなライゼウス様の魔力を見て、俺はふとニャムに視線を向ける。

……この魔力、ニャムと似ている……？

ニャムの魔力の底に眠っている気配と、ライゼウス様の魔力の気配がすごく似ていることに気づいたのだ。

まさか、ニャムとライゼウス様は……。

そこまで考えたが、途中で考えるのを止めた。

ニャムが口にしないと言うことは、話したくないのだろう。

そして荒々しい獅子の如きライゼウス様に相対する陸冬雪斎だが、こちらはライゼウス様とは逆で、痩軀の中年男性だった。

整えられた白髪と、きっちりと着こなされた白い着物からも、彼の性格がうかがえる。

「ねぇ、刀真。あの陸冬雪斎って人は知ってるの？」

「名前だけはな……」

実際に面識はなかったが、生真面目な人物だとは聞いていた。

そんな中、不意に陸冬の持っている武器に目が行った。

「……なるほど、【命刀】は使わないようだな」

「【命刀】？」

「魔族と戦った時、俺が刀を使っただろう？」

「あ、あれね！　そういえば、あれって結局何なの？　私の知ってる【魔装】とも違うみたいだし……」

「俺はその【魔装】とやらを知らないが……陽ノ国(ひのくに)の刀士にとって、何よりも重要なものだな。陽ノ国では一定の年齢になると【王選祝福】という儀式が行われ、そこで皇帝陛下から【命刀】を授かる機会を得る。その機会に【命刀】を手に入れた者だけが、陽ノ国を守護する刀士になれるというわけだ。そして以前俺が使っていた刀こそが、まさに【命刀】だな」

「へぇ……」

ともかく、【命刀】を使わないということは、陽ノ国としては手の内のすべてを見せるつもりはないようだな。

簡単に陽ノ国について説明していると、ついにライゼウス様と陸冬の試合が始まった。

だが……。

「……何のつもりだ？」

陸冬は目の前のライゼウス様に対し、眉を顰(ひそ)める。

というのも、ライゼウス様は一切構えを取らず、ただ腕を組んで仁王立ちしているのだ。

「何故(なぜ)構えぬ！」

陸冬が武器を構えながらそう叫ぶと、ライゼウス様は不敵に笑う。

「構えなど不要ッ！」

轟ッ！　と空気が揺れた。

ただ言葉を発しただけで、その場を制圧してしまうような力が、ライゼウス様にはあった。

幸い、観客席には防御魔法が張られているおかげで、直接的な被害はないが……もし防御魔法がなかったら、気の弱い人は失神していただろう。

「強者とは、強いが故に強者なのだ。そんな些事を気にする者は、弱者である」

「……その傲慢さ、後悔させてやるッ！」

不遜なライゼウス様に対し、陸冬が独特な歩法で、一気に間合いを詰めた。

その動きは非常に滑らかで、まるで氷上を滑りながら移動しているかのようだった。

起こりの少ないその動きに、対処するのは難しいだろう。

現に陸冬はライゼウス様の反応速度を超え、そのまま背後に回り込んだ。

そして――――。

「『落雪』！」

陸冬はその家門に伝わる武術を繰り出し、ライゼウス様の背中を斬り付けた。

だが……。

「なっ⁉」

なんと、ライゼウス様の背中には、傷一つ付かなかった。

というのも、陸冬の刀は、ライゼウス様の薄皮一枚も斬り裂くことができず、受け止められたのだ。

「くっ！　ならば……『吹雪』！」

陸冬はすぐに次の技に移行すると、その独特の歩法と合わせて、素早い一撃を叩き出した。

とはいえ、先ほどとは異なり、真正面からの一撃である。

ライゼウス様の実力があれば、防いだり、避けるのは容易いだろう。

しかし……。

「っ⁉」

ライゼウス様はその場から一歩も動かず、陸冬の刀をその身で受け止めたのだ。

「ば、馬鹿な……」

その状況に、陸冬が言葉を失っていると、ライゼウス様は豪快に笑った。

「グハハハ！　強者たる者、防御などせぬッ！」

「……怪物め」

ライゼウス様の姿を見て、陸冬は忌々し気にそう吐き捨てた。

すると、ライゼウス様は笑みを深める。

「では、そろそろ……我からも行かせてもらうぞ！」

「！」

「『百獣戦闘術・象の型――』」

咄嗟に陸冬がその場から飛び退いた瞬間、ライゼウス様は地面を割るように力いっぱい踏み込む。

「――『万踏』！」

その瞬間、闘技場全体が、大きく揺れた。

ライゼウス様を中心に、闘技場の地面が大きく陥没すると、そのまま地割れが広がり、砕け散る。

その余波は防御魔法の張られた観客席にまで届き、防御魔法が悲鳴を上げるように軋んだ。

「な、何よ、あの踏み込み……！」

そんな光景を前に、リーズは呆然と呟く。

だが……俺はライゼウス様の動きを見て、本気でないことに気づいていた。

あれでもかなり手加減している方だろう。

もし本気であれば、観客席どころか、この闘技場そのものが崩れ、地に沈んだはずだ。

とはいえ、加減した一撃で闘技場の地面をあそこまで粉砕するとは……。

すると、足場を崩された陸冬は、空中に身を投げ出す。

しかし、その隙をライゼウス様が逃すはずもなかった。

「グハハハハ！　まだまだ行くぞ！」

「くっ！」

『虎の型・爪虎』！」

ライゼウス様の手に魔力と闘気が集まると、巨大な獣の爪へと変化する。

そして、その爪撃を陸冬へ放った。

「舐めるなッ！」

陸冬はライゼウス様の攻撃に反応すると、一瞬、刀で受け止める。

だが、完全に刀で受け止めるのではなく、その一瞬の間に体勢を変え、爪撃を足場にするようにして、距離を取ったのだ。

「ほう、やるではないか！」

そんな陸冬の行動に、ライゼウス様は獰猛な笑みを浮かべる。

「そら、我を楽しませてみせよ！」

まさに獣が獲物に群がるように、ライゼウス様は攻撃の手を緩めない。

その一撃一撃は凄まじく、陸冬は上手く捌いているようだったが、もし一撃でもその身に受ければ、体は粉々になるだろう。

そんな中、ライゼウス様の攻撃の拍子を摑んだ陸冬が、反撃に出る。

「ここだ……『凍穿』！」

「ぬっ⁉」

ライゼウス様の攻撃の間を縫うようにして放たれた鋭い突きは、そのままライゼウス様の右肩を穿つ。

すると最初こそ傷一つ負わなかったライゼウス様の体から、一筋の赤い血が流れ落ちた。

自身の体に傷がついたことを確認すると、ライゼウス様は豪快に笑う。

「グハハハハハ！　久方ぶりに血を流したぞ、異国の戦士よ！」

「……アレだけやって、その程度の傷か」

しかし、一撃を加えた陸冬の表情は暗い。

というのも、本来ならあの一撃で右腕は穿たれ、使い物にならなくなるはずだった。

しかし、ライゼウス様の場合、ようやく薄皮一枚貫けた程度の傷にしかなっておらず、まったく戦闘に支障がなかったのだ。

「よい、よいぞ……！　血が滾るなぁ……！　このまま死ぬまで殺し合おう！」

「……獣の戯れに付き合う気はない」

「つれないことを言うな……！」

再び始まる怒涛の攻撃。

先ほどはライゼウス様の拍子を読んだ陸冬の一撃が決まったが、その拍子が変化したことで、陸冬は受けに回ることに。

とはいえ、陸冬もただやられているわけではなく、隙を上手く見つけるたびに、そこを的確に突いていた。

――こうして数十合を超える激しいやり取りを終えると、互いに一度、距離を取る。

そして――。

「『氷華散乱』！」

「『虎の型・猛虎一擲(もうこいってき)』！」

二つの技が、激しくぶつかる。

片や、雪の華が咲き乱れるかの如(ごと)く、美しき刀の乱舞。

片や、虎がとどめを刺すかの如く、荒々しき剛腕の一撃。

その二つの衝突は凄まじく、その余波は防御魔法を粉々に砕いた。

そして、一瞬拮抗(きっこう)したものの、最終的にライゼウス様が押し潰す。

しかし、それを瞬時に悟った陸冬が、力の流れを変えて、弾(はじ)き返したのだ。

だが……。

「こ、こっちに来るぞ！」

「きゃあああああああっ！」

なんと、その受け流された攻撃が、そのまま観客席に……しかも、俺たちが座っている場所に飛んできたのだ。

咄嗟にアールスト王国の魔法使いたちが防御魔法を再生成しようとするが、二人の攻撃の前では意味がなく、再び破壊される。

「くっ！　何とかして止めないと……！」

リーズが魔力を練り上げ、魔法を発動させようとするが、恐らくそれでも止められないだろう。

俺は向かってくる攻撃に目を向け、冷静にその終点を見極めた。

そして――――。

「『覇天掌（はてんしょう）』！」

その攻撃を打ち消すように、掌底を放つ。

その結果、俺たちに向かってきていた攻撃は、跡形もなく消し飛んだ。

「き、消えた……？」

「一体、何が……」

呆然と周囲を見渡す観客たち。

そんな中、試合も終焉（しゅうえん）を迎えた。

「くっ……」

「――――我の勝ちだな」

ライゼウス様が、陸冬の首を掴み上げていたのだ。

「リーズ、ニャム」

「な、何？　ていうか、今、攻撃を打ち消したのって――――」

「少々消えるぞ」

「は⁉」

リーズが言葉を重ねようとしたが、俺はそれを無視して、この大陸に来て初めて、全力で気配を消した。

「ちょっ……と、刀真⁉」

「す、すご……目の前にいたのに、見えなくなった……⁉」

実際は、その場から移動しているわけではなく、気配を薄くし、魔力などのあらゆる要素を使って、周囲に気配を溶け込ませているだけなのだが、実際に目の当たりにした人間からすると、目の前で消えたように見えるだろう。

ともかく、俺が姿を隠したのには理由があった。

試合が終わった直後、ライゼウス様は陸冬を放り投げると、俺たちの方に視線を投げたのだ。

そして……。

「！」

「っ！」

ライゼウス様はニャムの姿を確認すると、軽く目を見開く。

その視線を受け、ニャムは一瞬、身を強張らせた。

「……まさか、あの出来損ないが止めたのか……？」

しかし、すぐにニャムから視線を外した。

「……いや、それはないな。だがそうなると、我らの一撃を止めたのは一体……」

再び俺たちのいる方に視線を向けるライゼウス様だったが、結局俺の姿を見つけることはできず、闘技場を後にした。

……何とかバレずに済んだか。とはいえ、ライゼウス様以外の視線もいくつかこちらに飛んできている。まだ気配を戻すわけにはいかないな。

こうしてライゼウス様と陸冬の試合が終わったものの、防御魔法を展開し直すのと、会場の地面を整地するため、少しの時間が設けられた。

すると、現場を指揮していた一人の魔法使いに目が行く。

その魔法使いは真っ赤な外套を身に纏っており、その体内には膨大な魔力が渦巻いていた。

「リーズ」

「うわぁ⁉　と、刀真⁉　アンタ、どこにいるのよ⁉」

「隣にいるぞ」

「……え、嘘でしょ？　動いていないの⁉」

　辺りをキョロキョロと見渡すリーズだが、俺は最初の位置から動いていない。

　とはいえ、気配を本気で周囲に溶け込ませている上に、認識を逸らすよう、魔力や闘気で誘導しているのだ。まず見つからないだろう。

「それよりも、あの赤色の外套を着た男性は……」

「え？　あ、ああ、あの方ね。あの方は、【炎王】エリオ・ヘルフラム様……世界に十人いる、【十王】と呼ばれる凄腕の魔法使いの一人よ」

「十王……」

「このアールスト王国の魔法師団の団長でもあるわ」

　なるほど、魔法使いの最高峰の一人というわけか。

「皆さま、少々お待ちください。今すぐ会場を整えますので――」

　エリオさんは魔力の籠もった声で、会場に来ている全員に向けて、そう声を上げた。

　その異名から察するに、火属性魔法が得意なのだろうが、土属性魔法も使えるらしく、どんどん会場が整備されていく。

こうしてすべての整備が終わると、再び試合が再開した。

その後は、ライゼウス様と陸冬のような、凄まじい戦いこそなかったが、見ているだけで大変勉強になる時間だった。

そしてついに、最後の試合となる。

「ようやく【剣聖】の登場ね……」

そう、最後の試合には、この国の最高戦力である【剣聖】――ガディアン・ルゼールが登場するのだ。

さらに、その【剣聖】を相手にするのは――――。

「！」

俺は登場した人物を見て、眼を見開いた。

すると、その人物を目にしたリーズが、聞いてくる。

「あの人は……陽ノ国人よね。誰だか知ってるの？」

「……一応な」

登場したのは、漆黒の羽織を身に纏う、一人の壮年男性。

見る者、触れる者すべてを斬り裂くような鋭い気迫を放つその男性は、【七大天聖】の第一位――陽刀鞘衛一郎だった。

「彼は、皇帝陛下を除けば、陽ノ国で一番の実力者と言っていいだろう」

「へえ……そんなすごい人が相手なのね」

「で、でも、それくらいじゃないと、【剣聖】の相手にはならないってこと？」

　確かに、ニャムの言う通りだが……。

　俺はガディアンさんと、陽刀鞘を観察する。

……ふむ、驚いたことに、ガディアンさんは、【神髄】には至っていないようだ。

この国で【剣聖】の称号を得ている以上、【神髄】には至っていると思っていたが……。

それに対して、陽刀鞘は、当然のように【神髄】に至っている。

となると、この試合は、ガディアンさんにとって、かなり厳しいものになるだろう。

そんなことを考えていると、リーズの呆れた声が届く。

「それよりも、いい加減出てきなさいよ。これじゃあ私たちが虚空に話しかけてる変人みたいじゃない……」

「……すまない。だが、この試合が終わるまでは、このままでいさせてくれ」

「一体、何なのよ……」

　先ほどの攻撃を防いだことで、俺の存在を探る視線が増えたからな。

　それは当然、陽ノ国からのものもある。

目を付けられれば、面倒なことになるだろう。

すると、ついに【剣聖】と【七大天聖】の第一位による試合が始まった。

「貴方(あなた)は陽ノ国で一番の剣士だと伺いました。ぜひ、お手合わせ願います」

「こちらこそ。では、心行くまで……斬り結びましょう」

静かに刀を抜き放つ陽刀鞘。

その動作一つで、場の空気が一変した。

ただやはり、陽刀鞘も陸冬と同じく、【命刀】を抜くつもりはないらしい。

とはいえ、あの刀も十分な業物だろう。

互いに間合いを測り、隙を窺う中、まず最初に動いたのは……ガディアンさんだった。

「せやあああっ！」

鋭い一振り。

そこに特別なものは何もなく、ただただ基礎に忠実な上段斬りだった。

それでも、ガディアンの放つ一撃は目を瞠(みは)るほど美しく、目が離せない。

「ふっ！」

それに対し、陽刀鞘は冷静に剣筋を見極めると、鋭い呼気と共に、剣を弾(はじ)き返した。

そしてその僅かな隙を逃さず、追撃に向かう。

「天陰流、陰の型――――『影走り』」

「⁉」

　なんとその一撃は、技の起こりを一切感じさせず、さらに魔力や気勢すらも消失させた、まさに無の一撃だった。

　それだけ何の気配も感じられない一撃に、ガディアンさんは驚きつつも、何とか対処してみせる。

　並みの剣士であれば、今の一撃で戦闘不能になるだろうが、さすがは【剣聖】だ。

　だが、それすらも読んでいたかのように、陽刀鞘は攻撃を続けた。

「天陰流、陽の型――――『日輪』」

　すると今度は、先ほどの攻撃とは逆に、眼が潰れるほどの濃密な魔力と気勢を放ちながら、斬り掛かったのだ。

「ぐぅ！」

　その圧倒的な魔力と気勢に気圧（けお）されながらも、ガディアンさんは受け止める。

　そしてガディアンさんも負けてはおらず、そのまま攻めに転じた。

「はあああああっ！」

「――――陰の型、『日暮れ』」

そんなガディアンさんを嘲笑うように、陽刀鞘は再び魔力と気勢を消失させ、まるで霞のようにガディアンさんの攻撃を受け流す。

「す、すごい戦いね……」

詳しい駆け引きが分からないリーズたちからすれば、一進一退の攻防が繰り広げられているように見えただろう。

だが実際は、常に陽刀鞘の手中に主導権が握られていた。

……やはり【七大天聖】の第一位は伊達ではないな。

彼の剣は、陰と陽を組み合わせ、撹乱させるものになっている。

ある時は光り差す太陽のように攻め、ある時は影のように気配なく攻める。

この性質の異なる二つの剣を織り交ぜることで、相手は惑わされるのだ。

凄まじい攻防が繰り広げられる中、改めて俺はガディアンさんが扱うアールスト王国剣術に目を向ける。

確かに、陽刀鞘の使うような、一目見て強力だと分かる剣ではない。

特別な術理が込められているわけでも、多彩な技があるわけでもないのだ。

しかし、その基礎的な剣術でも、あの【七大天聖】第一位の剣と戦えている。

もしこれで、ガディアンさんが【神髄】に到達していたなら……果たしてどうなるのか、とても楽しみだ。

だが、そんな楽しい時間にも終わりが訪れる。

陽刀鞘の一撃に対抗するように、ガディアンさんが反撃した瞬間だった。

「あ！」

誰かの声が、闘技場に響いた。

なんと、激しい打ち合いの末、両者の武器が砕け散ったのだ。

一瞬、陽刀鞘は己の刀に目を向け、眼を見開くと、すぐに気勢を収める。

「……武器もなくなりましたし、ここまでにいたしましょう」

「……ええ」

結局、両者の武器がなくなったということで、両者引き分けとなった。

だが、陽刀鞘が涼しい表情で帰っていくのに対し、ガディアンさんの表情は暗く、とても引き分けに終わったとは思えなかった。

……ガディアンさんも実感しているだろうが、今の試合は……。

俺が思わず思考の海に沈んでいると、会場に大きな拍手が響き渡る。

――――こうしてすべての試合が終わったのだった。

＊＊＊

――ある日の夜。

王都のとある家の地下で、一人の男が呻いていた。

「クソックソックソッ！」

その男の足元には、真っ赤な血だまりが広がっており、凄まじい臭気を放っている。

そんな中、男は手にしているモノを、貪った。

「血が……血が足りない……！　ヤツのせいで……！」

男が食べていたのは、なんと――人の肉だったのだ。

何よりこの男こそ、英雄の墓場にて、亡霊騎士を呼び出した者に他ならなかった。

「……ヤツのせいで力を失うことになったというのに……クソがッ！」

真っ赤な瞳を血走らせて、男はそう叫んだ。

「……何より忌々しいのが、支配から逃れながらも、未だに顕現していることだ！」

男は亡霊騎士を召喚したものの、その支配に失敗していた。

本来であれば、支配が失敗した時点で男と亡霊騎士の繋がりは切れ、亡霊騎士はそのまま物言わぬ軀となるはずだった。

しかしどういうわけか、亡霊騎士は男の支配から逃れただけでなく、未だに現世に顕現し続け、こうして男を執拗に狙っているのだ。

支配に失敗した結果、男が集めてきた死体……戦力も失う事態になった。

それだけでなく、男は力を蓄えるために人を殺し、その血肉を得る必要があったのだが、亡霊騎士にその収穫の邪魔をされていたのだ。

それでも何とか亡霊騎士の隙を突き、今日まで人を攫っては血肉を得ていた男。

だが、血肉はまったく足りていなかった。

男は血に濡れた震える手で、一冊の本を取り出す。

「は、早く……早く……早く力を蓄え、至高の肉体を手に入れないと……！」

その本からは、不気味な魔力が放たれており、その魔力に男は陶酔していた。

しかし、それ以上に、男は襲い来る飢えに耐え切れなかった。

「キヒッ……キヒヒ……も、もうダメだぁ……我慢できん……！」

もはや、食欲を抑えることができない男の足元には、朽ちた花が転がっているのだった。

＊＊＊

【剣天聖覇祭】が終わった後。

俺たちは適当な酒場に入ると、今日見た試合の感想を語り合うことにした。

それと同時に、今まで仲間としてやってきたが、ニャムの懇親会をしていなかったことを思い出し、それも兼ねて行うことにしたのである。

「さ、遠慮せず食べてちょうだい」

「おお」

「ほ、本当にいいの⁉」

そんな俺たちの前には、多種多様な料理が用意されていた。

「もちろん！　今日はニャムの懇親会も兼ねてるんだから」

「あ、ありがとう！」

さすがA級冒険者というべきか、リーズの懐は俺たちよりも圧倒的に温かい。

ここは遠慮せず、ご相伴にあずかろう。

こうして食事を楽しみながら、【剣天聖覇祭】について話が進んでいくと、不意にニャムがしみじみと語った。

「……まさか、ウチがこんな風に誰かと楽しく食事できるなんて……」

「……」

黙ってニャムの様子を見守っていると、ニャムは何かを決心した様子で続けた。

「刀真っちは気づいたみたいだけど……ウチ、あのライゼウスの娘なんだよね」

「ええっ⁉」

さすがにリーズは気づいていなかったようで、驚きの声を上げる。

だが、ニャムは苦笑いを浮かべた。

「とはいっても、妾の子なんだけどさ……」

「だ、だとしても、あのライゼウス様の娘って……」

「……そんな大した存在じゃないよ。だってウチは――――出来損ないなんだから」

ニャムは寂し気な表情を浮かべつつ、教えてくれる。

「ウチの百獣国は、知っての通りビースターの国なんだけど……ビースターの祖先が何なのか、二人とも知ってる？」

「いや……」

「確か、人間と……神獣が交わって生まれたのよね？」

「ほう？」

初めて聞く話に驚いていると、ニャムは頷く。

「うん。ビースターの技術の中には、その神獣の血を呼び覚ます【神獣覚醒】って技があるんだ」

「【神獣覚醒】……」

「当然、簡単に会得できるような技じゃないんだけど……百獣国の王であるお父さんや、その血を引く子供たちは、必ずその技術を会得しないといけないんだよね」

「そんな……」

「今日、お父さんの姿を見たでしょ？」

ニャムに言われて思い出すのは、あの獅子の如き戦いを見せたライゼウス様の姿だった。

「ビースターの頂点に立つには、力が必要なの。百獣国では、強者こそが絶対の正義だからさ。そんな中でもお父さんは特殊で、本来一時的に発動させる【神獣覚醒】を、常時発動してる化物なんだけど……ともかく、国を率いるためには、【神獣覚醒】をすることが必須だったの。でもウチは……その覚醒が、できなかった」

「ニャム……」

リーズが何とも言えない表情でニャムを見つめる。

「おかしいよね？　他のお兄ちゃんたちや妹までもが次々と覚醒するのに、ウチだけ覚醒できなかったんだ。才能がないんだよ、きっと」

「……」

「……でも、お父さんは最初から分かってたのかもね。ウチは昔から、お父さんに嫌われてたから……」

「え？　そ、それって【神獣覚醒】する前から？」

「うん」

　寂しそうに笑うニャム。

「なんでかは分からないよ？　でも、ずっと嫌われてたんだ。会うたびに『不気味だ』、『出来損ない』ってさ」

「その……お母さんは？」

「ウチが小さい頃に死んじゃった」

「……」

　幼い頃に母を亡くし、父から疎まれていたという人生は、俺と重なるところがあった。

　すると、リーズが口を開く。

「ニャムは……どうして冒険者になろうと思ったの？」

「……最初は、お父さんに認めてもらいたくて、冒険者になったんだ。冒険者のランクを上げて、強くなれば、お父さんに認めてもらえるんじゃないかって……だから国を出て、冒険者になった。でも、現実は知っての通り、ウチのせいで皆に迷惑をかけて、ずっとD級で燻ってたんだ。それに、ウチが必死にダンジョンを攻略してる中、お兄ちゃんたちは一人でダンジョンを攻略したって噂を聞いてさ。やっぱりウチは、出来損ないなんだなって……お父さんに認めてもらいたくて冒険者になったけど、結局国を出たのは、出来損ないだってことを突きつけられるのに耐えられなかっただけなんだ」

「……」

「だから、お父さんに会うなんて思ってもいなかったけど……まさか、こんな形で再会するとは思わなかったよ」

「すまない。出場者について話しておけばよかったな……」

「ううん。刀真っちは悪くないよ。もともと剣天聖覇祭には興味があったし、すごく勉強になったから！　ウチが勝手に気にしてるだけ。本当に情けないね」

ニャムは、ぐっと拳を握り、顔を俯かせた。

しかし、すぐに顔を上げる。

「でも、二人と出会えて、少し考えが変わったんだよ！」

「え？」

「ウチにはウチの道があるんじゃないかって……二人がウチの【不幸】なんて異名をものともせずに付き合ってくれたから……そう思うことができたんだ。だから、本当に感謝してる。ありがとう」

ニャムは、己の中で答えを見つけ、前を向いていた。

……リーズもそうだが、皆強いな。

そんなニャムの強さを眩しく思っていると、リーズが続ける。

「……私もね、前は一人で強くなることに必死だったの。でも、一人じゃ限界があるって思い知らされたのよ」

「え、リーズっちが？」

ニャムからすれば、雲の上のような実力者であるＡ級冒険者のリーズがそう語り、驚く。

そこからリーズは、自身の生い立ちを簡潔に語った。

周りに人がいるため、魔族のことこそ語らなかったが、自身がとある国の王女だったことと、裏切られた家臣に復讐を誓ったことを……。

「だから私は、力を求めたの。そんな時、刀真と出会って……仲間の大切さを知ったわ。今もその家臣の協力者から命を狙われてるしね。でも、仲間が……刀真が助けてくれた」

「リーズっち……」

「だから、もしよければ……これからも、私たちと一緒に来てくれない？」

真剣な表情を浮かべるリーズ。

「今話した通り、私は命を狙われてる。だから、ニャムも危険に巻き込むと思う。でも、貴女（あなた）と一緒に行動して思ったの。私は貴女ともっと一緒にいたいって……」

「リーズっち……」

そんなリーズの言葉を受け、ニャムは顔を俯かせる。

「……それを言うなら、ウチの方こそだよ。ウチと一緒にいるだけで、二人とも危険な目に遭ってるのに、こんな風に言ってくれて……」

「ニャム……」

すると、ニャムは顔を上げ、笑みを浮かべて、頷いた。

「出来損ないのウチが、力になれるなら……！」

「……ありがとう。でも、ニャム、貴女は出来損ないなんかじゃないわ。私たちと一緒に強くなって、あの百獣帝を見返してやりましょう！」

「っ……うん！」

――こうして俺たちは、ニャムを正式に仲間に迎え入れ、親睦を深めていくのだった。

第五章

――――【剣天聖覇祭】から三日後。

各国の王族や貴族は、それぞれの国へと帰る支度をしていた。

その中で、百獣国を統べるライゼウスは、家臣の一人に問いかける。

「――――我の攻撃の余波を防いだ者は分かったのか？」

「いえ、それが……」

陸冬と激戦を繰り広げたライゼウス。

その攻撃の余波は凄まじく、観客席に張られていた防御魔法すら破壊し、そのまま観客に被害が出るかと思われた。

だが、突如その攻撃の余波が、何者かによって打ち消されたのだ。

「我の攻撃を防ぐだけでなく、その姿を見つけ出すことすらできんとは……ククク、世界は広いな」

楽し気に笑うライゼウスだが、ふと自身の娘であるニャムを思い出す。

「それに比べて、アイツは……」

観客席で見たニャムは、未だに【神獣覚醒】している気配がなかった。

「フン……国を出て、多少はマシになったかと思ったが……何も変わっていなかったな。あんな出来損ないに、我の血が流れているとは……忌々しい」

何故か、昔からニャムに対し、生理的嫌悪ともいえる拒否感を抱いていたライゼウス。

その上、他の子供と異なり、才能がないニャムは、強者こそ至高と考える百獣国において、侮蔑の対象に他ならなかった。

こうしてライゼウスはニャムに対して吐き捨てると、準備を調え、帰国するのだった。

＊＊＊

――一方、同じく帰り支度を調えていた陽ノ国の皇帝……陽龍天義は、陽刀鞘に問いかける。

「それで――【剣聖】とやらはどうであった？」

どこか冷淡な印象を受ける皇帝の言葉。

そんな皇帝に対し、陽刀鞘は頭を垂れ、答えた。

「……そうですね。堅実な剣を扱う者でした。ただ――つまらぬ剣です」

「ほう？」

アールスト王国を含めた大陸の各国において、【剣聖】という名は非常に重い。

それは初代剣聖の伝説が、世界中に広がっているからだ。

それこそ、刀一つで陽ノ国を統一した初代皇帝のように、初代剣聖のクラウゼン・ボルトもまた、その時代の怪物だったのだ。

そんな怪物が生み出した剣術こそが【アールスト王国剣術】であり、今もアールスト王国に伝わっている。

故に、陽刀鞘はその剣術を完全に伝承した、当代剣聖との勝負を心待ちにしていた。

だが……。

「【剣聖】と聞いていたので期待しておりましたが……かの者は【神髄】に到達していないようでした」

そんな陽刀鞘の言葉に、皇帝は興味深そうな表情を浮かべる。

「ふむ……【神髄】に至らず、其方と斬り結べたことに驚くべきか……悩ましいな」

「ご安心を。たとえヤツが【神髄】に到達したとて、私に勝つことは不可能でしょう。他の者の実力も観察しておりましたが、【剣聖】以外で【七大天聖】の脅威となり得る者は、せいぜい百獣国の王や【炎王】と呼ばれていた者くらいでございました。兵の練度も、陽ノ国には及ばぬかと」

　陽刀鞘の報告を聞いた皇帝は、頰を吊り上げる。

「であるならば……余が大陸を手中に収めるのも時間の問題よのぅ」

「……ただ、懸念点もございます」

「申してみよ」

「百獣国の王に関しては、底が見えませんでした」

「……あの粗暴な者か」

　陽刀鞘の言葉に一瞬眉を顰めた皇帝だが、すぐに余裕の表情を浮かべる。

「今回、参加した国以外にも、まだ実力者はいると聞く……一筋縄ではいかんというわけだな。ただ、百獣国などはここよりさらに遠い地にあると聞いた。征服するのは、じっくりと戦力を整えてからでも遅くはなかろう」

「はっ」

　再び頭を垂れる陽刀鞘を見て、皇帝は満足げに頷くと、アールスト王国に用意された部屋の窓から外に目を向けた。

「しかし……余は運がいい。まさか余の代でこの大陸の存在を知っただけでなく、あの【極魔島】の問題も片付くとはな」

「……あの島の岩山が消えたと聞いた時は驚きましたが……本当なのでしょうか？」

――陽ノ国随一の危険地帯である【極魔島】。

そこには魑魅魍魎が跋扈し、陽刀鞘を含めて、【七大天聖】であっても無事では済まない、恐ろしい島だった。

しかもその地には、かつて陽ノ国を統一した初代皇帝が、とある妖魔の怨霊を封じたと言い伝えられており、その怨霊の祟りを鎮めるため、十年に一度、罪人を生贄として捧げてきたのである。

「陸冬に確認させたが、実際に岩山は消えていた。その上、星読みの話では、あの島に封じられていた強い力の気配も消えたそうだ」

「なんと……！」

「それだけではない。あの島から感知できた強い力の気配が消えたことで、陽ノ国への災いの兆しも完全に消滅したそうだ。そして、代わりに真の王が君臨するという吉兆まで出現したと言う……つまり、余が大陸に覇を唱える時が来たと言うわけだ」

「まさに、陛下の時代でございますな」

陽刀鞘は皇帝にそう告げたところで、ふと疑問が浮かんだ。

「しかし、陛下……何故唐突に災いの兆しが消えたのでしょうか？」

陽刀鞘の疑問はもっともで、長年、【極魔島】から災いの気配が消えなかったがため、生贄を捧げ続けてきたのだ。

それが、いきなり消滅したというのは、陽刀鞘からすれば不思議でならなかった。

すると、皇帝は笑みを浮かべる。

「七年前に捧げた護堂家の者を覚えておるか？」

「はっ」

――――七年前。

当時、【七大天聖】の第五位、護堂刀厳の息子でありながら、魔力も扱えず、皇帝の祝福である【命刀】も授かれなかった刀真。

その刀真を大義名分をもって処分するため、護堂家の当主である刀厳は、【極魔島】の生贄に刀真を捧げたのだ。

そして実は、その刀真を【極魔島】に運び、投げ捨てた人物が……この陽刀鞘だったのだ。

陽刀鞘は、己の面子のため、息子を容赦なく切り捨てる刀厳を軽蔑していたが、それ以上に、力のない刀真自身を心底軽蔑していた。

陽刀鞘にとって、皇帝の力とならない者は、生きる価値がないからだ。

「無能とはいえ、ヤツにも護堂家の血が流れておる。そしてその護堂家には、皇族の血が……つまり、七年前の生贄は、ある意味皇族を捧げたことになったのだ。結果、皇族の血を捧げたことで、ようやく怨霊は鎮まったというわけだ。とはいえ、初代様が封じられた怨霊。かなり強力だったようだな。兆しが消えるまで七年も要した。だが、七年の時を経て、陽ノ国の災いは終わったのだ」

「なるほど……」

無能であり、使い道がないと思われていた刀真によって、陽ノ国が救われたことを知った陽刀鞘は驚いた。

しかしすぐに、刀真がすごいのではなく、皇帝陛下の血がすごいのだなと、納得する。

すると、皇帝は当時を思い出し、満足げに続けた。

「あの時の刀厳の選択は正しかったようだな。さすがは余の忠臣だ」

「……」

ただ、陽刀鞘は皇帝の言葉を聞き、何とも言えない表情を浮かべていた。

というのも、陽刀鞘にとって、護堂刀厳という人物は、野心の塊だからだ。

「（あの男は、必ず何かを企んでいる。いつか、その尻尾を掴んでやるぞ……）」

皇帝陛下に仇なす者は、決して許さない陽刀鞘。

護堂家からきな臭さを感じ取っていたが、証拠がないため、陽刀鞘はどうすることもできないでいたのだ。

「何はともあれ、我が国が災厄の心配をする必要はなくなった。故に、陽龍家が世界へと飛翔する時が来たのだ」

「どこまでもお供いたします、陛下」

――この時、皇帝は自身が真の王であると信じて疑っていなかった。

極魔島の岩山が崩れ、突如現れた真の王の兆し。

果たして……真の王とは誰なのか。

皇帝がそれを知るのは、まだ先の話――。

＊＊＊

各国が帰国していく中、アールスト王国の最高戦力であり、【剣聖】のガディアン・ルゼールは、剣の修行に明け暮れていた。

「はああっ！」

もうすでに、何本もの剣を使い潰し、修練場はボロボロになっている。

そんな鬼気迫る様子で修行をするガディアンの下に、一人の男性が姿を現した。

「――ずいぶんと荒れているな」

「……エリオか」

現れたのは、真っ赤なローブを身に纏う男性……エリオ・ヘルフラム。

【炎王】と呼ばれるほどの火属性魔法の使い手であり、アールスト王国の魔法師団長を務めている男だった。

エリオはガディアンにタオルを投げ渡すと、近くのベンチに腰を下ろす。

「何をそんなに焦っているんだ？」

「……剣天聖覇祭で少し、な」

「剣天聖覇祭？　そういえば、お前はあの陽ノ国の戦士と戦ったんだったか。あの時は引き分けで――」

「――引き分けなんかじゃない」

「！」

ハッキリと、ガディアンはそう口にした。

それと同時に、ガディアンは悔しそうな表情を浮かべる。

「あれは、引き分けではなく……私の負けだった」

静かに目を閉じるガディアンが思い浮かべたのは、圧倒的な刀術を見せつけた、陽刀鞘衛一郎のことだった。

――翻弄されっ放しだった。

時にすべてを飲み込む太陽のように破滅的な一撃を。

時にすべてを消し去る闇夜のように静かなる一撃を。

まさに絶世の刀術と言えた。

それに対して、ガディアンの剣は――――。

「――なんてつまらぬ剣なんだろうな」

「ガディアン！」

自身の剣を否定するガディアンに対し、エリオはすかさず声を上げた。

すると、ガディアンは自嘲する。

「……分かっているさ。剣術が悪いわけではない。ただ、俺の腕が未熟なだけだと」

「……」

「それでも、考えてしまうのだ。俺が他の剣術を使えたら……もっと、違う魔力運用法を知っていれば……！」

アールスト王国剣術の魔力運用法は、世界のあらゆる武術の中でも、圧倒的に分かりやすく、学びやすいのが特徴だった。

しかし、そのせいでアールスト王国剣術の魔力運用法では、他の武術の魔力運用法に比べて、技の力が劣るのだ。

よくも悪くも誰でも使える剣術……それが、アールスト王国剣術だった。

「アールスト王国剣術の神髄は【普遍】……それは理解している。だが、その神髄では……普遍的な剣術では、他の武術に勝てないんだよ」

「ガディアン……」

ガディアンは、不甲斐(ふがい)なかった。

己の実力不足を、剣術のせいにしたことが……。

すると、ふとガディアンは口を開く。

「そういえば、お前は何をしに来たんだ？」

「おお、そうだった……陛下がお呼びだ」

「何？」

ガディアンが首を傾(かし)げていると、エリオは続ける。

「亡霊騎士の件だ。ついに本格的な討伐が決定した。その討伐隊の隊長にお前を任命するそうだ。俺も手伝うことになるだろう」

「……そうか。すぐに向かう」

ガディアンは訓練を切り上げ、国王の下へ向かう。

そして、改めて国王から亡霊騎士の討伐を命じられ、その討伐隊の隊長として、動くことになるのだった。

＊＊＊

懇親会から数日後。

親睦を深めた俺たちは、ついにＤ級ダンジョンを攻略することに成功した。

「長かったぁー」

「そうなの？」

「うん。ウチらくらいの実力があれば、もっと早く完全攻略できるはずなんだけど……ダンジョンの難易度が異常に高くなってたせいで、こんなに時間がかかっちゃった」

ニャムの言う通り、Ｄ級のダンジョンという、本来は初心者向けの場所でありながら、即死級の罠(わな)がいくつも登場し、その上、魔物も体に変な赤い線が走っていたりと、凶暴化していたのだ。

その結果、とてもD級とは思えない難易度になり、攻略に時間がかかったのである。

「しかも、毎回次の階層に向かうためのセーフティゾーンから一番遠い位置からのスタートだったし……」

「……そう考えると最悪ね。結局、アイテムもこの伝音の腕輪以外は手に入ってないわけだし……」

そう、これだけ時間をかけて攻略したにもかかわらず、アイテムはこの腕輪だけだったのだ。

魔物からのドロップアイテムは、時々手に入ってはいたが、それもあまり多くはない。

そのくせ、今回の最後の階層……通称、ボスの部屋と呼ばれる場所で登場した魔物は、俺たちが散々道中で戦ってきた、凶暴化していない上位ゴブリンの集団だったのだ。

俺たちはそのボスとして出てきたゴブリンより、さらに凶暴化したゴブリンを相手にしてきたので、それはもうすぐに終わったわけである。

道中の魔物がボスより強かったのは、今思うと不運だったのかもしれない。

そんなこんなでダンジョンから帰還した俺たちは、ダンジョン内で手に入れた素材を換金すべく、冒険者ギルドに顔を出した。

すると……。

「ん？」

「何だか人が多いわね……」

いつもギルドに人は大勢いたが、今日はまた一段と数が多く、皆何かを待っているようだった。

ひとまず俺たちは目的である換金を済ませるため、受付に向かう。

「素材の買取をお願いしたいんですが……」

「はい、大丈夫ですよ」

「それと、この人だかりは何でしょう？」

素材の買取の際、ついでにこの状況について尋ねると、受付嬢は一瞬驚きつつも、教えてくれる。

「最近街で問題になっている亡霊騎士はご存じですか？」

「もちろんです。何なら、戦いましたよ？」

「え、そうなんですか⁉」

「サイオンさんって方が襲われてまして、その方を助ける際に戦ったんですが……結局逃げられました」

「サイオンさん……もしかして、大通りでお花屋さんをやってる方でしょうか？」

「確かそんなことを言っていたような……？」

すると、受付嬢は深刻な表情で続けた。

「実は……そのサイオンさん、今は行方不明なんです」

「え⁉」

予想だにしていなかった答えに、俺たちは目を見開いた。

「ゆ、行方不明って……」

「ここ数日、お店を閉めていまして……今、お二人から聞いた話を加味すると……恐らく亡霊騎士に攫われたのでしょう」

「そんな……」

……あの人の魔力から妙な気配を感じていたが……俺の気にしすぎだったのだろうか？

「ともかく、失踪者が増え続けているため、国からの正式な依頼として、大規模な亡霊騎士の討伐命令が出たんですよ。それで、その依頼は我々冒険者にも回って来てまして、ここに集まった人たちは、皆その亡霊騎士の討伐に参加する方々です」

「なるほど」

「今回の討伐隊には、【剣聖】様も参加されるので、皆さんもどうですか？　それこそリーズさんはA級冒険者ですし、そちらのお二人もC級相当の実力はおありでしょうから

「……」

ひとまず、この人だかりの正体は理解できた。

とはいえ、俺一人で決められる話ではない。

「リーズ、どうする？」

「そうね……せっかくだし、受けてみようと思うんだけど、どうかしら？」

「もちろん、大丈夫！　だって、二人の知り合いもいなくなっちゃったわけでしょ？」

「そうね……無事だといいけど、そこも気になるところだわ」

「なら、受けようよ！」

俺も受けることに問題はないため、ニャムの一声で依頼を受けることが決まった。

素材の換金を終え、俺たちもギルド内で待っていると、少ししてこの王都の冒険者をまとめ上げるギルドマスターが姿を現した。

年齢は五十を超えたくらいであろうギルドマスターだったが、未だに現役と言われても納得できるほど、体が鍛え上げられている。

その体から溢れ出る気力からも、彼が強いことが一目で分かった。レストラルのギルドマスターと同じで、彼もまた、元S級冒険者なのかもしれんな。

「皆、よく集まってくれた！　俺はここのギルドマスターをしているジルバってもんだ。

すでに知っていると思うが、今この街で、失踪事件が相次いでいる。その犯人として名が挙がっているのが、亡霊騎士だ！　アイツは毎夜現れては、この街の連中を連れ去っていく。そんな危険なヤツを、野放しにはできん！　だから、その亡霊騎士を討伐するため、お前らの力を貸してくれ！」

『おお！』

ジルバさんの言葉に、冒険者たちは勢いよく声を上げた。

ほとんどの者がこの街に住んでおり、だからこそ、今の状況を許すことはできないのだろう。

その後も、ジルバさんから簡単な依頼の概要説明を受けた。

簡単にまとめると、一人での行動は避け、仲間たちと行動すること。

それと、一緒に討伐隊として街に繰り出す兵士たちとも協力するように言われた。

最後に、亡霊騎士を見つけた時の合図として、煙を打ち上げる道具も支給された。

こうして説明を受けた後、俺たちは討伐隊として、それぞれ散開していくのだった。

＊＊＊

「さて、俺たちも移動するとしよう」

「そうね……でも、どこら辺を見て回る？」

「やっぱり、路地裏とかの方がいいんじゃない？」

「ふむ……となると、俺たちの宿の近くはちょうどいいかもな」

宿への帰り道に実際に遭遇しているため、もしかするとまた見つけられるかもしれない。

場所の目星を付けた俺たちは、早速宿の付近の路地を捜し回った。

一応、あの時感じた魔力や気配は覚えているため、亡霊騎士が近くに来ればすぐに分かるだろう。

ただ、いくら路地裏を見て回るとはいえ、この王都は広い。

冒険者やこの国の兵士が動いているとはいえ、果たして見つけられるか……。

そんなことを考えながら捜し回っていると、なんと、あの亡霊騎士の気配を感じ取ることに成功する。

「リーズ、ニャム、見つけたぞ！」

「え、もう⁉　刀真（とうま）っち、早すぎじゃない⁉」

「たった一回しか遭遇していない相手の気配がなんで分かるのよ……まあいいわ、早く行きましょう！」

俺たちがその気配の方に向かっていくと、そこで俺はもう一つ気配があることに気づいた。

「この気配は……サイオンさん？」

「え⁉」

なんと、亡霊騎士の近くに、失踪中のサイオンさんの気配を感じ取ったのだ。

急いでその現場に向かうと、あの時と同じように、サイオンさんが亡霊騎士に襲われている。

ただ、すでに一回斬られたのか、サイオンさんは体から血を流していた。

すると、俺たちに気づいたサイオンさんが、必死に助けを求める。

「た、助けてください！」

「やあっ！」

ニャムはナイフを抜き放つと、素早い動きで亡霊騎士に投げつけた。

だが亡霊騎士は、まるで羽虫を払うかのように、その攻撃を弾き返す。

しかし俺にとって、その一瞬の隙があれば十分だった。

「ハアッ……！」

『⁉』

亡霊騎士の甲冑部分に、俺は【崩天】を叩き込んだ。

ただやはり、この一撃で亡霊騎士を倒すことはできず、亡霊騎士は威力を逃すようにその場から飛び退く。

その隙に、リーズが煙を打ち上げた。

すると近くにいた冒険者や、兵士たちがこちらに向かってくるのを感じ取った。

そんな中、リーズが鋭い視線を亡霊騎士に向ける。

「アンタは一体、何者なの？　どうして人を襲うのよ！」

『……』

リーズはそう問いかけるが、亡霊騎士は何も答えない。

だが、すぐに冒険者たちがやって来るのを察知したのか、以前と同じように体を闇夜に溶けさせ、消えていく。

それを見て、俺は自身の魔力感知能力を最大限まで引き上げ、眼にもより一層の魔力を集めた。

その甲斐もあって、闇夜を移動する亡霊騎士を認識することに成功する。

「俺はヤツを追うから、リーズとニャムはサイオンさんを頼む！」

「え、ちょっ⁉」

そして、リーズたちの返答を聞く間もなく、亡霊騎士の跡を追った。

あの時は亡霊騎士を取り逃がしたが、亡霊騎士は肉体を魔力へと変換し、そのまま空気に漂うように移動していたのだ。

それに気づいた俺は、移動する亡霊騎士の魔力を追いかけることで、逃がさないようにする。

その際、俺は腕輪に魔力を流し、リーズとニャムに声を送った。

「二人とも、聞こえるか？」

『あ、刀真っち！』

『いきなり移動したからびっくりしたじゃない！』

「すまない。俺は今、王都の東側の外に向かって移動している。そっちはどうだ？」

『こっちは大丈夫よ。サイオンさんは怪我(けが)してたけど、それも回復薬を使って何とかなったわ』

「そうか」

『それと、駆け付けてくれた冒険者や兵士にも伝えたから、すぐそっちに応援が行くと思うわ』

「助かる」

こうして連絡を取りながら移動を続けていると、王都の東側の外に出たところで、亡霊騎士は逃げるのを止め、姿を現した。

「……お前は何者だ？　何故、人を襲う？」

『……』

俺の問いに、亡霊騎士は答えることなく、静かに剣を構えた。

「……答えぬか。なら……！」

俺は一気に加速すると、そのまま亡霊騎士へと突きを放った。

しかし、亡霊騎士は慌てることなくその攻撃を見極めると、隙を縫うように剣を振るう。

「ハアッ！」

俺もその攻撃を許さず、すぐさま右足の蹴りで亡霊騎士の剣を弾き飛ばした。

だが、亡霊騎士はその弾き飛ばされた勢いを利用し、流れるようにこちらに剣を振るってくる。

「！」

咄嗟に身をよじって躱した俺だったが……今のはかなり危なかった。

ただ、不思議なことに、俺は目の前の亡霊騎士から、殺意や敵意といったものを感じ取ることができなかった。

もちろん、その身に纏う邪悪な気配は濃厚なのだが、あくまで身に纏う雰囲気がそうなだけで、俺に向ける意識には、そんな邪悪な気配は含まれていなかった。

そのことに戸惑いつつ、俺は構え直すと、再度亡霊騎士目掛けて突っ込んだ。

「【覇天拳(はてんけん)】ッ！」

『!?』

空気の終点を穿(うが)ち、最速となった俺の拳。

避けるのは困難であろうこの拳に対して、亡霊騎士は驚いた様子を見せるも、すぐに防御の姿勢を取った。

そして……。

『――――！』

「ッ！　【流天(るてん)】！」

なんと、亡霊騎士は俺の一撃を見事にいなし、むしろ俺の攻撃の勢いをそのまま利用し、凄(すさ)まじい反撃の一撃を放ってきたのだ。

俺はその剣を、咄嗟に両手に魔力と闘気をかき集めて受け止めると、同じように受け流す。

　だが、亡霊騎士はそれすらも読んでいたかのように、上段斬り、水平斬りと、次々と技を繋げていくのだ。

　一見、亡霊騎士の技はすべて反撃系にも見えるが、実際はどれも基礎的な技術の組み合わせでしかなかった。

　それでも、俺の【覇天拳】と対等以上に戦っているのだ。

　そんな剣術こそ――――まさにアールスト王国剣術に他ならなかった。

　しかも、その腕前は、俺が剣天聖覇祭で見た剣聖であるガディアンさん以上……確実に神髄に到達している者の剣だ。

　この剣術に、この実力。まさか……!?

　驚くあまり、思わず俺が構えを解くと、亡霊騎士も剣を下げる。

　……やはり、そうなのか。

　そんな亡霊騎士の姿を見て、俺は確信に至った。

　この騎士は――――初代剣聖だ。

　でなければ説明がつかないほど、アールスト王国剣術を完璧に使いこなしているのだ。

それこそ、あの【剣天聖覇祭】で目にした現剣聖以上に……。

ならば、何故初代剣聖が人を襲うんだ？

……それよりも、本当に初代剣聖が失踪事件の犯人なのか？

俺が亡霊騎士の正体に気づき、あれこれ考えている時だった。


「――いたぞ、亡霊騎士だ！」


なんと、リーズたちが寄こしてくれた冒険者や兵士たちが来てしまったのだ。

しかもその中には、現剣聖……ガディアンさんの姿もある！

不味い……このままでは、初代剣聖との無益な争いが起こってしまう！

俺は慌てて初代剣聖と冒険者たちの間に割って入り、手を広げた。

「待ってください！　この方は敵ではありません！」

必死にそう告げるが、当然冒険者たちや、兵士が受け入れてくれるわけがない。

俺の行動を見て、皆が眉を吊り上げた。

「何を言うか！　その身に纏う邪悪な気配……悪しき者でないはずがない！」

「違うんです！　これは――」

なおも説得しようとするが、そんな俺の言葉を制し、現剣聖のガディアンさんが前に出た。

「その亡霊騎士を庇うというならば、貴様も敵なのだろう。皆の者！　コイツを含めて、騎士を討つのだ！」

『おお！』

「クッ！」

一斉に襲い掛かってくる冒険者と兵士たち。

このままではダメだ……！

「すまない！」

「ぐえっ⁉」

俺は襲い来る者たちの頭に触れると、一瞬だけ魔力を強く流し込み、意識を刈り取る。

これは、他者の魔力に対する拒絶反応を利用した技術の一つだ。

一人一人対処していくが、襲ってくる者の数は凄まじく、この人数を相手に意識だけを奪い続けるのは至難の業だった。

何より……。

「――――アルフォス」

「ハッ！」

「ぐっ⁉」

この国の騎士団で、副団長を務める【麗剣(れいけん)】アルフォスが、俺の相手として立ちふさがったのだ。

俺と冒険者たちの戦いの隙を縫うように、正確無比に放たれる一撃。

その一撃を咄嗟に受け止めつつ、俺は叫んだ。

「お願いです、話を聞いてください！」

「罪人の言葉に、貸す耳はない！」

だが、どれだけ訴えても、アルフォスさんの剣が止まることはなかった。

アールスト王国剣術を忠実に鍛えた美しき剣が、俺に襲い掛かる。

「うおおおおおお！」

『！』

その間に、団長であるガディアンさんは亡霊騎士に迫ると、鋭い一太刀(ひとたち)を浴びせた。

しかし、亡霊騎士は難なく対処する。

「なっ⁉　アンデッドの分際で……！」

『――』

あっさりと対応してみせる亡霊騎士に、ガディアンさんは驚きつつも、怒りをあらわにし、さらに苛烈に攻め立てた。

もちろん、そんな攻撃であっても、亡霊騎士は冷静に対処してみせる。

だが、このままではいけないことは確かだった。

まずい……このままでは、亡霊騎士が……！

亡霊騎士とガディアンさんの戦いを見て焦る俺に対し、アルフォスさんが吠える。

「この私を前にしてよそ見をするとは……いい度胸だな！」

「！」

アルフォスさんはさらに攻撃の手を加速させた。

もちろん、俺はそれらの攻撃を捌いていく。

だが、そんなアルフォスさんの攻撃の合間を縫うように、冒険者たちから魔法が飛んできた。

「っ！」

「さあ、観念しろ！」

なるべく傷つけないようにと思っていたが、アルフォスさんだけでなく、冒険者の攻撃も加わると、手加減は難しい。

やむを得ん……反撃するしかないか……。

アルフォスさんの攻撃を捌きつつ、そう考えていた時だった。

「なっ⁉」

『！』

突如、背筋の凍るような魔力の気配を感じ取った。

なんだ、この魔力は……！

その魔力は、亡霊騎士から漂う死の穢(けが)れを、より濃密にしたような……。

この世に存在してはいけない……そう思えるほど、不愉快さを感じるものだった。

さらに言えば、魔族の魔力にも近いが……微妙にその質が異なっている。

そんな魔力が、王都の方から漂ってきているのだ。

他者の魔力に鈍感な者であっても、この不吉な気配は感じ取れるだろう。

突然の状況に、冒険者たちも唖然(あぜん)とする。

すると、真っ先に亡霊騎士が反応し、王都に向かって駆け出した。

だが……。

「！　行かせるか！」

亡霊騎士と相対していたガディアンさんが、亡霊騎士の行く手を阻むように立ちふさがる。

「はあああああっ！」

そして、渾身の鋭い一撃を放った。

だが――――。

『――――』

「なっ――――」

亡霊騎士は、ガディアンさんの一撃を容易く受け流すと、まるで牽制するかのように一撃を放ち、驚くガディアンさんを吹き飛ばした。

何とか体勢を整えるガディアンさんだったが、亡霊騎士はすでにガディアンさんを無視して、王都に向かっていった。

今の一撃は……ガディアンさんとまったく同じ魔力運用法、型を用いた物だ。

しかし、どう見ても、亡霊騎士の一撃の方が優れているのは明らかだった。

そんな亡霊騎士に対してガディアンさんは、まさか同じ技でここまで差をつけられるとは思っていなかったようで、呆然としている。

すると、突然腕輪からリーズの声が聞こえてきた。

『刀真（とうま）、聞こえる⁉』

「っ！　聞こえるぞ！　一体、何があった！」

『――サイオンよ！　サイオンが、この一連の犯人なのよ！』

「何⁉」

リーズの言葉に、俺は驚く。

いや、確かにサイオンからは、得体のしれない魔力の気配を感知していたが……。

『今、サイオンがアンデッドを呼び出して、王都で暴れてるの！　だから、早く……！』

「分かった！」

俺はそう言うと、混乱している冒険者たちに目を向ける。

「……皆さん、聞いてください」

「な、何だ！　敵の言葉など……！」

「――いいから聞け！」

「！」

俺は声に魔力を乗せ、この場の空気を制圧した。

その隙に、俺は言葉を続ける。

「今までの事件の犯人は、サイオンという人物だ！」

「何？」

「ど、どういうことだ？」

俺の言葉に困惑する冒険者たち。

とはいえ、詳しく説明している時間はなかった。

すると王都から、一人の兵士が必死の形相でこちらに走って来た。

「だ、団長！　お、王都にアンデッドが出現しました！」

「っ！　なんだと⁉」

兵士の言葉で正気に返ったガディアンさん。

すると、兵士はさらに続ける。

「エリオ様によると、何者かがアンデッドを召喚し、操っているとのことです！」

「なっ⁉」

「まずい……！　今、兵のほとんどはこっちにいるぞ……！」

アルフォスさんの言う通り、亡霊騎士を捕まえるため、兵士や冒険者のほとんどが、この場に集まっていた。

そんな中、王都で暴れるサイオンの存在は、まさに悪夢と言えるだろう。

だが……。

「で、ですが突如、亡霊騎士が現れ、アンデッドを相手に奮闘しており、住民を救出中です！」

「そんな……！　では、あの騎士は……」

今まで犯人だと思っていた騎士が、住民を護り、戦っていると言うのだ。

その事実を前に、ガディアンさんたちは呆然とした。

しかし、このまま呆けられても困る。

「聴いただろう！　今、王都は危機に瀕している！　真の敵は――亡霊騎士ではない！」

「そ、そんな……」

「う、嘘だろ？」

「いや、でも……兵士が嘘をつくか？」

冒険者たちも、すぐにはこの状況を信じることができないだろう。

だが、今この間にも、アンデッドが住民を襲っているのだ。

迷っている時間はない。

するとガディアンさんが口を開く。

「……皆の者。急いで王都に戻るぞ」

「だ、団長！　では、この者は……」

「今はそれどころではない！　我々が護るべきは……この国の者たちだ！」

ガディアンさんの一声により、冒険者や兵士たちは、渋々俺に向けていた武器を下ろす。

すると、ガディアンさんが俺に声をかけた。

「……お前の言葉を信じたわけではない。だが……」

「……今はそれで充分です。とにかく、急ぎましょう」

「ああ……！」

――こうして俺たちは、王都へと急いで向かうのだった。

第六章

――刀真が亡霊騎士を追った後。

リーズは、サイオンに声をかけた。

「それにしても、無事でよかったです」

「……ええ」

リーズの言葉に応えるサイオンだったが、どこかその様子がおかしい。

とはいえ、それは亡霊騎士に襲われたからだと判断したリーズは言葉を続けた。

「失踪したって聞きましたが……やはり、あの騎士に攫われていたんですか？」

「……そうです。何とかヤツの隙を突いて、逃げ出しました」

「？」

襲われた人間とは思えないほど冷静なサイオンに、リーズは首を傾げる。

……何かしら、この違和感……あんな目に二度も遭って、ここまで冷静にいられるものなの……？

ただ、今は情報を集めるのが先だと判断したリーズは、その違和感を飲み込んだ。

「でしたら、他の失踪者たちの居場所は分かりますか？」

「さあ……その場には私しかいなかったので……」

「そうですか……」

何か一つでも情報が得られればと思っていたが、期待した結果は得られなかった。

ひとまず簡単なやり取りを終えると、リーズはサイオンをどうするか考える。

普通であれば、このまま家まで送り届けるのだが、サイオンはすでに二回も襲われているのだ。このまま家に帰したところで、また何かあるかもしれない。

そう考えたリーズは、とある提案をした。

「すみませんが、一度ギルドに連れて行ってもいいですか？」

「……それは、何故でしょう？」

「今現在、亡霊騎士の討伐が行われています。ただ、サイオンさんは二回も襲われてますし、また狙われるかもしれません。ですから、そのリスクを避けるためにも、一度ギルドで保護したいんです。ギルドであれば、冒険者たちもいますから」

「なるほど……別に構いませんよ。ただ、一度家に戻ってからでもいいですか？」

「もちろん、大丈夫です」

リーズがそう答えると、サイオンは奇妙な笑みを浮かべた。

するとと、今までのやり取りを黙って見ていたニャムが、リーズに耳打ちする。

「ね、ねえ、リーズっち」

「何？」

「あの人……何だかおかしくない？」

「おかしい？」

「う、うん……何というか……不気味じゃない……？」

「そうかしら？」

リーズも微か（かす）な違和感を感じてはいたが、ニャムのように、不気味とまでは思っていなかった。

だが、ニャムは、改めてサイオンに視線を向け、確信する。

「う、うん。だって、あの人、二回も襲われてるんでしょ？　なのに――何で笑ってるの？」

そう――ニャムの言う通り、サイオンは助けられてから、奇妙な笑みを浮かべ続けているのだ。

普通、危険な目に遭えば、恐怖に震えるなりなんなりするだろう。

しかし、サイオンからそんな気配は感じられず、ただ不気味な笑みを浮かべているのだ。

すると、サイオンが口を開いた。

「どうしたんですか？　早く行きましょうよぉ」

「……そうですね」

サイオンに促され、ひとまずリーズたちはサイオンの家に向かうことになった。

サイオンの家は、王都の外れにあるらしく、先に進むにつれて、どんどん人の気配が消えていく。

そんな中、不意にサイオンが口を開いた。

「いやぁ、それにしても……お腹（なか）が空（す）きませんか？」

「え？」

あまりにも唐突な内容に驚く中、サイオンは気にせず続ける。

「私は、最近お腹が空きっぱなしなんですよ」

「は、はぁ……」

「それでね？　何とかして食材を集めてたんですが……毎回邪魔が入って大変でしたよ」

「……どういうことですか？」

異様な気配を放つサイオンに対し、警戒するリーズたち。

　すると、サイオンは不気味な笑みを浮かべ、妙なことを口にした。

「邪魔者が消えたのであれば……もう我慢しなくてもいいですよねぇ？」

「は？」

「――――『満ち足りた幸福を知らぬ、哀れな亡霊。飢えを、渇きを、この世で満たせ』」

　その瞬間、サイオンを中心に、不気味な気配を放つ魔法陣が地面に出現した。

「なっ⁉」

「これって……！」

「――――『餓亡』」

　次の瞬間、サイオンを中心とした魔法陣から、人間の手や、魔物の頭などが這い出るように現れたのだ。

　急いでサイオンから距離を取るリーズたち。

　だが、そんなリーズたちの退路を塞ぐように、背後にもアンデッドが出現した。

　出現したアンデッドは人間の死体から、魔物の死体まで、実に様々で、皆一様に飢えているかのようにその口から涎を垂らしている。

普通であればすぐにでも生者に襲い掛かるアンデッドたちだったが、まるで命令を待っているかのように、その場に佇んで動かない。

そんな異常な状況を引き起こしたであろうサイオンに対し、リーズは鋭い視線を向けた。

「貴方は一体……！」

「――キヒッ……キヒヒッ！　いやぁ、助かりましたよ……こちとら、腹が減ってて仕方がなかったんだぁ！」

次の瞬間、サイオンの気配が一変する。

サイオンの瞳は赤く染まり、その体から、不吉な魔力が溢れ出した。

その魔力に呼応するように、魔法陣はどんどん巨大化し、気づけば王都全域を包み込むほどにまで広がっていく。

そして、その魔法陣から、大量のアンデッドたちが出現し、住民たちに襲い掛かった。

「な、何だぁ!?」

「ど、どうしてアンデッドが――」

「ぎゃあああ！　た、助けてくれぇ！」

一瞬にして阿鼻叫喚となる王都。

そんな悲鳴を耳にし、サイオンは恍惚とした表情を浮かべた。

「ああ……これだ……これを求めてたんだ……やっぱり我慢なんてできねぇよなぁ……！」

するとサイオンは、改めてリーズたちに視線を向ける。

「あのクソ騎士が邪魔するせいで食事も満足にできねぇ……だが、馬鹿どもがヤツを追ってくれたおかげで、俺は遠慮なくお前たちを喰うことができる……ありがとなぁ」

濃密な邪悪な気配を纏うサイオンに圧倒されていたリーズたちだったが、その言葉を聞き、正気に返った。

「まさか……失踪事件の犯人は、アンタだったの……⁉」

「だったらどうした？」

「どうしてこんなことを……！」

「失踪者たちはどこ⁉　今すぐ解放しなさい！」

すぐさま魔法を発動できる状態に移行したリーズは、そう叫ぶ。

しかし、リーズの問いかけに対し、サイオンは凶悪な笑みを浮かべた。

「失踪者？　ああ、アイツらなら——俺が喰っちまった」

「なっ――――」

サイオンの邪悪な答えに、リーズたちは絶句した。

すると、サイオンはますます笑みを深める。

「安心しろよ！　骨はとってあるからさぁ⁉」

次の瞬間、サイオンの足下から、何体もの骸骨が、這い出てきたのだ。

「あれは……スケルトン⁉」

「……屑が……！」

リーズは、その骸骨の魔物――スケルトンが、失踪者たちだとすぐに分かった。

言葉通り、サイオンは失踪者たちを喰らった後……スケルトンにして、使役したのだ。

「アンデッドを召喚するなんて……アンタ、どこでそんな禁術を⁉」

「何だよ？　お前らが解放しろっていうから、こうして出してやったんだろ？　ほら……受け取れよ！」

「っ！　ニャム、来るわよ！」

「う、うん！」

リーズがそう口にした瞬間、這い出てきたアンデッドたちは、一斉にリーズたちに飛び掛かった。

「はあっ！」

そんなアンデッドに対し、リーズは無詠唱で『雷閃』を発動させ、アンデッドを消し飛ばす。

その様子を見て、サイオンは驚いた。

「おいおい、無詠唱かよ……！　いい……いいなぁ！　お前は実に美味そうだ……！」

だが、今のサイオンにとって、A級冒険者に相応しい活躍をするリーズは、ただのご馳走にしか見えていなかった。

そんな中、アンデッドが消えた隙を突き、リーズは刀真に連絡を取る。

そして、リーズによって拓かれた道を、ニャムが駆け抜けた。

「『馬の型・疾風』！」

「あ？」

ニャムは一瞬にしてサイオンとの距離を潰すと、手にした短剣を振るう。

「『狼の型・群狼』！」

「！」

その攻撃は凄まじく、まるで狼の群れが殺到するかのような幻影が浮かび上がり、サイオンへと襲い掛かった。

しかし、そんな幻影に晒されたサイオンは焦る様子も見せず、軽々と攻撃を躱しながら、呪文を唱える。

「――――『生を欲する貪欲なる者。生者に集り、蠢き、奪い合い、行き着く果ては死肉の山よ』」

「この呪文は……」

リーズでさえ聞いたことのない呪文に驚く中、ついに魔法が完成した。

「――――『亡壁』」

「なっ⁉」

完全詠唱によって発動した魔法は、サイオンとニャムの間にアンデッドを生み出し、そのまま肉の壁としてニャムの攻撃を防いだのだ。

すると、サイオンは肉壁に手を当てる。

「おいおい、ガッカリだなぁ……そこの女の仲間だから、もっといい獲物かと思ったのに……ただのビースターじゃねぇかッ！」

「きゃあああっ！」

そして、サイオンは膨大な死の気配を纏う魔力をそのまま可視化できるほど圧縮し、肉壁ごとニャムを吹き飛ばした。

吹き飛ばされたニャムは、何とか空中で体勢を整えようとするも、付近の家の壁面に打ち付けられる。

「がはっ！」

「ニャム！」

「お前の相手はこっちだよ！」

すぐにリーズがニャムへと駆け寄ろうとするも、それを阻止するかのようにアンデッドがリーズの前に立ちはだかった。

「邪魔よ！」

その瞬間、リーズは無詠唱で『雷轟槍（らいごうそう）』を発動させると、群がるアンデッドを吹き飛ばす。

しかし、吹き飛ばした瞬間には、すでに次のアンデッドが生み出されていた。

「なっ⁉」

「残念だが、まだまだ召喚できるんだよなぁ！」

「……それじゃあ、アンタの召喚の限界が来るまで、消し飛ばすだけよ！」

リーズは再び魔力を練り上げると、襲い来るアンデッドに向かって魔法を放つ。

「くっ……リーズっち……！」

ニャムは痛む体に鞭打ち、再び短剣を構えると、リーズを助けるため、再び走り出す。

すると、サイオンはそんなニャムに冷たい視線を向けた。

「あ？　ただの畜生が、俺の楽しみを邪魔しようとすんじゃねぇよ。――潰せ」

「なっ⁉」

そんなニャムの行く手を阻むように、アンデッドがニャムの前に召喚される。

しかも、そのアンデッドは今までとは少し変わり、ニャムの倍はあろうかという巨体の大男だった。

全身が継ぎ接ぎだらけで、他のアンデッドのように腐った様子はなく、不気味な気配を漂わせている。

「こんなものッ！」

しかしニャムは、そんな異質なアンデッドに恐れることなく、短剣を振るい、斬り倒そうとした。

だが――。

「え……」

――――ニャムの攻撃は、アンデッドの体に傷一つ付けられなかった。

ニャムの短剣はすべて、アンデッドの皮膚で受け止められ、斬り裂くことができなかったのだ。

呆然とするニャムだったが、そんなニャムの脇腹を強烈な一撃が襲う。

「がッ――――」

「ニャムッ！」

何が起きたのか、ニャムには分からなかった。

脇腹に強烈な一撃を受けたニャムは、周囲の家の壁をいくつも貫通しながら吹き飛ばされ、そのまま大通りにまで届くと、無様に転がる。

「どうだ？　俺の最高傑作――――【不死王】はよぉ！」

自慢げに語るサイオンの傍には、拳を振り抜いた状態のアンデッドの姿があった。

「コイツは色んな墓場から手に入れた人間の死体と、龍の心臓や巨人の筋線維といった一級品の素材を融合させた、自慢の作品だ！　テメェら如きじゃあ、止めることはできねぇよぉ！」

「ニャム！　このっ……どきなさいよ……！」

リーズは全身から雷を迸らせ、群がるアンデッドを吹き飛ばす。

しかし、アンデッドは次々と召喚され、リーズに群がり続ける。

「どうして……どうして減らないの⁉」

まったく減る様子のないアンデッドに、リーズがそう叫ぶと、サイオンは笑みを浮かべる。

「そりゃあ……今この瞬間も、補充してるからなぁ？」

「なっ――――」

――サイオンは、召喚したアンデッドで街の人間を襲わせることで、そのまま殺した人間たちをアンデッドに変え、召喚していたのだ。

「アァア！」

「い、嫌、来ないでぇ！」

「お、お前、どうしちまったんだよ！」

今この瞬間にも、街の人が死に、アンデッドとなって周囲に襲い掛かっていた。

「アンデッドを減らしたけりゃあ、この国の民全員を相手にする気じゃねぇとなぁ！」

「この外道が……！」

「いいねぇ、その表情！　負の感情を貯め込んだ人間が、一番美味いんだよ！　俺の我慢も限界だが、喰うなら美味い状態がいいだろぉ？」

激昂するリーズに対し、涎を垂らすサイオン。

すると、次々と襲い来るアンデッドを対処し続けたことで、ついにリーズの魔力が底をついた。

「なっ⁉」

「おっと、ようやく限界か。中々粘ったが、ここまでのようだなぁ？」

そんなリーズに対し、サイオンはアンデッドに待機の指示を出すと、悠然と近づく。

リーズは何とかして魔法を発動させようとするが、もはや一節の魔法を唱える魔力すら残っていない。

「それにしても……ここまで我慢した甲斐があった……この魔力量と魔力の質！　こんな極上の獲物が手に入るなんてよぉ！」

そして、リーズの首を掴み上げると、舐めるようにその表情を見つめる。

「ぐっ……！」

「俺には分かる……お前を喰えば、俺は至高の存在へと変わることができると……！　そんな極上の獲物が、こうして手に入るなんてなぁ！」

「う……あ……」

　まさに絶体絶命。

　周囲では、アンデッドが街の人々を襲い、悲鳴が上がっている。

　そんな状況を、ニャムは倒れた状態で眺めることしかできない。

　――どうしてウチは弱いんだろう。

　ウチが強ければ、皆を助けられるのに……。

　必死に体を動かそうとするが、全身が悲鳴を上げ、指一つ動かすことができなかった。

　やっぱりウチは、出来損ないなのかな……。

　一度悪い方向に思考が巡ると、抜け出せなくなる。

　ニャムは僅かな意識の中で、どんどん自己嫌悪（けんお）に陥っていった。

　今は必死に意識を繋（つな）ぎ止めているが、体から血が流れ、力が抜けていき、いずれ意識も途絶えるだろう。

　いっそのこと、このまま意識を手放した方が楽になれる……そう思った瞬間だった。

　ニャムの脳裏に、リーズたちと過ごした時間が駆け巡った。

　父親であるライゼウスからは出来損ないと呼ばれ、周囲の人間からは【不幸（ミスフォーチュン）】と蔑まれてきたニャム。

そんなニャムを、リーズたちは受け入れてくれた。

そして今、そのリーズはサイオンに捕まり、絶体絶命の状況。

――こんなところで、倒れてる場合じゃない。

ウチが……ウチがリーズっちを助けないと……！

「う……くっ……！」

「……あ？」

「ニャム……！」

もはや限界を迎えた肉体を、ニャムは必死に叩き起こした。

その様子にサイオンが不愉快そうに眉を顰める。

「まだ生きてやがったのか……まあいい。今度こそ確実に仕留めて、お前もアンデッドにしてやるよ。行けっ！」

「オォオオオ！」

「ニャ、ム……逃げて……！」

サイオンの指示を受けた不死王は、凄まじい速度でニャムへと迫る。

リーズが暴れ、サイオンの手から逃れようとするも、その手はびくともしない。

「そら、よぉく見とけよ？　テメェの仲間が、殺されてアンデッドになる瞬間をよぉ！」

「ニャムッ……！」

「オォオオオオオオオ！」

「……」

フラフラのニャムに迫る不死王。

そして今、不死王の凶悪な拳が、ニャムを捉えようとした――――その瞬間だった。

「ッ……ああああああああああああああ！」

突如、ニャムの体から、膨大な魔力の奔流が吹き荒れた。

その奔流は、迫っていた不死王の巨体さえ吹き飛ばし、さらに周囲にいたアンデッドたちまでをも消し飛ばす。

「なっ……不死王⁉」

「うぅ……！」

暴力的な魔力の中心に立つニャムの体に、異変が起きた。

ニャムの短く切りそろえられた黒髪が、腰のあたりまで伸びていき、荒々しく逆立つ。

さらにニャムの瞳は銀色に輝き、どこか超俗的な気配を漂わせていた。

「にゃ、ニャム？」

「……」

突然の変化に、リーズも呆然とその名を口にするが、ニャムは反応しない。

だが次の瞬間、ニャムの姿が掻き消えた。

「っ⁉　ど、どこに消え――」

「――――オオオオオオオオオオオオオオオオオオオオ！」

なんと、いつの間にかニャムは吹き飛ばした不死王の下に移動すると、不死王の頭を掴み、地面に叩きつけたのだ。

「ふ、不死王！」

その瞬間、不死王の頭は一瞬で破裂し、辺り一面に肉片が飛び散る。

「ば、馬鹿な……S級の魔物の素材まで使った不死王が、一撃だと……⁉」

先ほどまで、ニャムの攻撃が一切通じなかった不死王。

しかし、今のニャムはそんな不死王の肉体をものともせず、簡単に倒して見せた。

そのことにサイオンが戦慄する中、再びニャムの姿が掻き消える。

「っ！　クソがあああっ！」

「きゃあっ！」

サイオンは手にしていたリーズを投げ捨てると、その場から一気に飛び退いた。

次の瞬間、今までサイオンが立っていた位置を、黒い影が凄まじい勢いで通り過ぎる。

そして、宙に投げ捨てられたリーズは、いつの間にかニャムに抱きかかえられていた。

「にゃ、ニャム？」

「……」

リーズが恐る恐るそう問いかけるも、今のニャムには表情がなく、ただサイオンをジッと見つめている。

すると、サイオンが苛立たし気に続けた。

「何なんだよ……テメェは何なんだよぉおおおおお！」

「……」

しかし、ニャムはサイオンの言葉に応えず、リーズをそっと降ろすと、再び姿を掻き消す。

「ッ……舐めんじゃねぇ！　『亡壁』！」

サイオンはすぐさま詠唱破棄し、魔法を発動させると、サイオンを取り囲むようにアンデッドの肉壁が生み出された。

だが――――。

「ッ！」

ニャムは、アンデッドの壁に躊躇なく突っ込むと、その腕を振るう。

その瞬間、積み重なっていたアンデッドの壁が、一気に消し飛んだ。

「クソッ！　なんなんだ、このバケモンはよぉ！」

今までとは打って変わり、圧倒的な力を見せつけるニャム。

そのことに焦るサイオンだったが、アンデッドを盾にしつつ、新たな呪文を唱え始めた。

「『妬み、嫉み、渦巻く怨恨。生者を縛り、引きずり落とせ』……！」

「！」

「――――『縛霊』！」

魔法を発動させた瞬間、数多の死霊がサイオンを中心に召喚され、ニャムへと向かっていく。

ニャムは、それらの死霊も吹き飛ばそうと腕を振るうが、その攻撃はすべてすり抜けてしまった。

そして、そのままニャムの体に纏わりつくと、なんとニャムの動きを止めてしまう。

「ニャム！」

「ははは！　ソイツからはそう簡単に抜け出せねぇぞ！」

「……」

「なっ⁉」

しかし、ニャムは全身に力を入れると、自身を縛り付ける死霊を、そのまま引きちぎってみせた。

「馬鹿な⁉　この魔法を破るだと⁉」

「……！」

「はッ⁉　しまっ――――」

驚くサイオンの一瞬の隙を突き、ニャムはサイオンへと急接近する。

そして、拳を固めると、サイオンに向けて放とうとした。

だが――――。

「……⁉」

「ニャム⁉」

なんと、突然ニャムの体から、力が抜けていったのだ。

その結果、ニャムの姿はいつもの状態へと変わり、膝をつく。

するとそんなニャムの様子を見て、サイオンは笑った。

「ククク……アハハハハハ！　残念だったなぁ⁉　あの魔法はただ対象を拘束するだけじ

ゃないんだよ！」

「何ですって……!?」

「『縛霊』は、相手を拘束すると同時に、ソイツの生命力を奪う魔法だ。さっきのが奥の手だったのか何なのかは知らねぇが、すでに満身創痍だったお前は、これで終わりってわけだよ！」

「う……ぁ……」

サイオンの言葉通り、ニャムはそのまま地に倒れ伏す。

そして、生命力を奪われたことで、これ以上動くことはできなくなった。

するとサイオンは倒れたニャムの髪を摑み、持ち上げる。

「ぁ……」

「しっかし……ただの畜生かと思えば、コイツも変わった力を持ってるなんてよぉ。これで極上の獲物が二つってわけだ！」

「ニャムを、放しなさい……！」

魔力が尽きたことで、動くこともやっとなリーズは、それでもニャムを助けるため、地を這って動く。

そんなリーズを見て、サイオンは嗜虐的な笑みを浮かべた。

「アンデッドにはできなかったが、お前の前で喰ってやることはできそうだなぁ？」

「待て……待ちなさい……！」

「待つ？　待つわけねぇだろ⁉　もう我慢の限界だぁ！」

そう言うと、サイオンは口を開け、ニャムの首元に近づく。

そして――。

「さあ……これで至高の存在に――」


『――！』


突如、鋭い風が、サイオンとニャムの間を駆け抜けた。

「は？　ぎゃあああああああああ⁉」

その瞬間、サイオンの腕に一筋の線が走ると、そのままズレ落ちる。

「う、腕が……！　俺の腕ガアアアアアアア⁉」

「な、何が……」

腕を斬り落とされ、その場で暴れ回るサイオンを前に、リーズは呆然(ぼうぜん)とする。

そんな中、サイオンから解放されたことで、地に落ちそうになったニャムを、誰かが抱きとめたのだ。

そしてリーズは、その存在に目を向け、目を見開く。

「あ、アンタは……」

『……』

そこに立っていたのは、最初に敵と認識し、追い詰めた亡霊騎士だった。

亡霊騎士は、そっとニャムをその場に寝かせると、サイオンに近づく。

すると、亡霊騎士に気づいたサイオンが、唾を撒き散らしながら叫んだ。

「て、て、テメェえええええええええ！　どこまでも俺の邪魔をしやがってええええええええ！」

『……』

しかし、亡霊騎士はそんなサイオンの言葉に耳を貸さず、手にした剣を構えると、凄まじい踏み込みを見せた。

「ふ、ふざけるなあああッ！　『亡壁』！」

『！』

サイオンが詠唱破棄して魔法を唱えると、亡霊騎士との間にアンデッドが召喚される。

亡霊騎士ほどの剣の腕があれば、この程度のアンデッドは障害にすらならないだろう。

だが、亡霊騎士は立ちふさがるアンデッドを前に、その動きを止めた。

その様子にリーズが驚くと、サイオンが勝ち誇ったような笑みを浮かべる。

「は、ははは！　そうか、やはりそうか！　お前、コイツらを攻撃できねぇんだろ⁉」

『……』

亡霊騎士は沈黙を貫くも、サイオンの言葉は当たっていた。

そしてサイオンは、どうして亡霊騎士がアンデッドを攻撃できないのかも見抜く。

「そりゃそうだよなぁ⁉　この国の英雄が、死んでいるとはいえ、国民を傷つけられるわけがねぇもんなぁ！」

『……』

――かつて【剣聖(けんせい)】と呼ばれた亡霊騎士は、アールスト王国で暮らす民のため、剣を振るった。

故に、亡霊騎士にとって、たとえ死んだ存在であっても……彼らに剣を向けることができなかったのだ。

そのため、ここに来るまでの間、倒したアンデッドはどれも、魔物がベースとなったものので、人間のアンデッドが相手になると、どうしても攻撃することができなかった。

とはいえ、そのアンデッドは、今を生きるアールスト王国の国民に襲い掛かっている。

もし仮に、この場にいる亡霊騎士が、生きて正気を保っていれば、たとえかつての国民であったとしても、今の国民を守るためにアンデッドに容赦なく剣を振るっただろう。

何より生み出された人間のアンデッドは、このアールスト王国の民だけでなく、あらゆる墓場からサイオンが集めてきたものも含まれているため、別の国出身の人間の死体も含まれていた。

だが、死の眠りから強制的に蘇（よみがえ）らされた亡霊騎士には、理性がほとんど残っておらず、それらを判別することができなかった。

それでも、死者を愚弄するサイオンだけは討たねばならないという、強い本能は残っていたのだ。

故に、亡霊騎士はサイオンの支配から抜け出すと、己の魂を懸け、動いた。

この悪鬼から、国民を守らなければと……。

「英雄だろうが何だろうが、テメェは今、ただのアンデッドなんだよ！　そんなくだらねぇ信念のせいで、今を生きる国民を守れないなんて滑稽だよなぁ!?　ぎゃははははは！」

「黙れ……黙りなさいッ！」

リーズはそう叫ぶも、サイオンは言葉を止めない。

「うるせぇ！　餌の分際で指図すんじゃねぇ！　ククク……一時はどうなるかと思ったが、

弱点さえ分かればどうとでもなる！　こっからはテメェの大切な国民を盾に、じっくり甚振ってやるよ！」

「――――『覇天拳』！」

その瞬間、リーズの眼前に存在していた、すべてのアンデッドが消し飛んだ。

「刀真ッ！」

「――――すまない、遅くなった」

絶体絶命の窮地に立たされたリーズを救うべく――――ついに刀真が参戦するのだった。

＊＊＊

ガディアンさんたちと共に王都に戻った俺たち。

するとそこは――――まさに地獄といった状態になっていた。

「く、来るなああ！」

「誰か、誰か助けてえええええ！」

魔物や人型（ひとがた）の死体が、街の住民に襲い掛かっていたのだ。

「これは……！」

「急いで手分けをして、アンデッドの討伐に動け！」

『はっ！』

すぐさまガディアンさんが指示を出すと、兵士たちは一瞬で散開し、住民を襲う死体を倒していく。

すると、一緒に行動していた冒険者たちも、それに続く形で死体を掃討していった。

そんな中、俺は亡霊騎士の気配を探りつつ、同じように住民を襲う死体を殴り飛ばす。

「ハアッ！」

「オォオ！」

胴体を貫く、まさに致命的な一撃。

だが、死体は意に介さず、動いていた。

「何？」

よく観察すると、周囲を徘徊（はいかい）する死体の終点は、すべて頭部に集中していることが分かった。

……なるほど。頭部を破壊せねば、動き続けるわけか。

だが、からくりが分かればなんてことはない。

俺はすぐさま、蹴りを目の前の死体の頭部に叩き込んだ。

その瞬間、死体の頭が弾け、死体は動かなくなる。

要領が分かったところで、俺は次々と死体を殲滅していった。

すると、不意に強烈な魔力の気配を感じ取る。

「この魔力は……」

その魔力の発生源に目を向けると、王城の上空に、【炎王】──エリオさんが、赤い外套をたなびかせ、浮遊していた。

エリオさんは眼下に広がる光景に眉を顰めつつ、詠唱を始める。

「生者には祝福を、死者には安寧を。浄化の焔は慈雨の如く降り注ぐ──『聖焔来迎』！」

完全詠唱した瞬間、エリオさんの背後に、青白い炎が後光のように噴出する。

その炎はどんどん巨大化していくと、やがて一気に弾け、この王都全域に雨のように降り注いだ。

すると、その炎は俺を含めた生きている人間に触れると、体に活力を漲らせ、逆に死者に触れた瞬間、激しく燃え上がり、その死体を焼失させた。

こうして、たった一つの魔法だけで多くの人間を救い、敵を殲滅するエリオさん。

……とんでもないな。

初めて耳にする詠唱だったが、その威力は絶大。王都全域にまで効果を発揮していた。

この威力は、俺の知る六節以上の魔法を軽く超えている。

これが、魔法使いの最高峰か……。

だが、そんなエリオさんの強力な魔法をもってしても、王都にいる死体の数は減らない。

死体に襲われ、亡くなった人間が、その場で動く死体となり、また別の人間に襲い掛かるからだ。

「くっ……キリがない……！」

本当であれば今すぐにでもリーズたちの下に向かいたかった。

しかし、襲われている街の住民を放っておくこともできない。

ただ、住民を助けようにも、人の手が圧倒的に足りなかった。

やはり、元凶を叩く方が先か……。

そう考えていると、鋭い闘気を感じ取った。

「これは……！」

「――刀真君」

「ドゥエル師匠！」

闘気を感じ取った方に視線を向けると、そこには槍を手に、泰然としたドゥエル師匠の姿があった。

ドゥエル師匠は俺の方に近づきつつも、襲い来る死体を次々と処理していく。

さ、流石だな……。

地獄のような戦場だが、ついその槍術に見惚れてしまった。

「一体、何が起きているんだ？」

「実は……」

俺は簡潔に、これまでのことをドゥエル師匠に報告した。

すると、ドゥエル師匠が眉を顰める。

「……なるほど。この騒ぎは、サイオンの仕業なんだな」

「ドゥエル師匠はサイオンを知ってるんですか？」

「ああ。特に親しい間柄というわけではないがね。しかし、ヤツはただの花屋だったはず。

それがどうしてこんな凶行を……」

　そこまで語ると、ドゥエル師匠は考え込む。

「……いや、確かに昔のサイオンは、そんなヤツではなかった。しかしここ二、三年前、突然ヤツから妙な気配を感じるようになったんだ」

「妙な気配ですか？」

「ああ。それが何なのかは分からないが……ともかく、何かが原因でヤツは豹変したのだろう」

「なるほど……それで、この状況を止めるには、どうしたらいいと思いますか？」

「詳しいことは何とも言えないが、この状況の黒幕がサイオンであるなら、ヤツをどうにかすれば、この状況が収まる可能性は高い」

「やはり……」

　話し合いをしながらも、俺たちは互いの手を止めず、住民を襲う死体を倒していく。

　すると、ふとドゥエル師匠は俺の様子を見て、苦笑いを浮かべた。

「それにしても……やはり君は、とんでもない実力の持ち主だな。槍術ではなく、今の君と手合わせすれば、私が負けそうだ」

「そんなことは……!?」

ドゥエル師匠と話していた俺は、不意にリーズたちの気配が弱まったのを感じた。

この感じは……不味い……！

「すみません、ドゥエル師匠！　ここは任せます！」

「ああ――――」

俺が慌ててそう言うと、ドゥエル師匠は軽やかに槍を振るう。

その瞬間、俺に群がって来ていた死体を、ひとまとめで貫き、振り払うことで道を切り開いてくれた。

「――――行ってきなさい」

「ありがとうございます……！」

突然駆け出した俺に何も聞かず、ドゥエル師匠は快く送り出してくれたのだった。

＊＊＊

リーズたちの気配に向かって全速力で移動していると、亡霊騎士もリーズたちの方向に向かっているのを感じた。

その結果、俺は亡霊騎士の後に現場に辿り着く。

すると、そこには地に横たわるニャムと、リーズの姿があった。

そして、サイオンと亡霊騎士の間には、大量の人間の死体が群がっており、何故か亡霊騎士はその死体に攻撃を加えようとしなかった。

とはいえ、このまま黙って見ているわけにもいかない。

俺はその場からさらに加速すると、全力で死体たちに拳を打ち込んだ。

「――『覇天拳』！」

その結果、密集していた人間の死体は消し飛び、突然現れた俺を見て、サイオンは目を見開いた。

「え、は？」

「刀真ッ！」

「――すまない、遅くなった」

ひとまず俺は、一息でニャムを抱えると、そのままリーズの下に移動する。

そして、ざっと魔力の流れなどを視て、体調を確認した。

リーズは魔力が尽き、疲弊こそしているようだったが、大きな怪我はない。

しかしニャムは、体内の魔力の流れが滅茶苦茶で、全身酷い大怪我を負っていた。

そんな二人を見て、俺はますます申し訳なくなる。

「……本当にすまない。もっと早く来ていれば……」

「いいのよ。こうして間に合ったんだし……何より、街の人たちを助けてたんでしょ？」

「ああ。今もガディアンさんたちや、冒険者たちが相手をしている」

そんなやり取りをしつつ、俺はニャムの体に触れ、俺の魔力を丁寧に流し込んだ。

そして、ニャムの滅茶苦茶に乱れた魔力を整えつつ、治療していく。

すると、俺たちのやり取りを見て、サイオンが正気に返った。

「はっ⁉　て、テメェ！　よくも――――」

『ッ！』

「ぎゃあああああっ！」

しかし、次の瞬間、亡霊騎士が神速の踏み込みを見せると、サイオンの体を斬り裂いた。

サイオンは絶叫すると、慌てて亡霊騎士から距離を取ろうとする。

「クソクソクソクソクソォオオオオオ！　近づくんじゃねぇえええええええ！　『亡壁』ぃぃぃいいい！」

両腕を失ったサイオンが、何やら不気味な魔法名を唱えると、再びサイオンと亡霊騎士の間に、何体もの死体が現れた。

ただ、どう見てもあの程度の数では、亡霊騎士を止めることなどできない。

だが……。

『！』

「ぎゃははは！　攻撃したけりゃしてみろよ！」

なんと、亡霊騎士は、死体に対して攻撃せず、動きを止めてしまったのだ。

それを見て俺が驚いていると、リーズが教えてくれる。

「刀真！　今の亡霊騎士には、サイオンを倒すということ以外、理性が残ってないの！　そして、この国を守ってきた騎士だからこそ、元々国民だったアンデッドを攻撃できないのよ！」

「何？」

普通に考えれば、たとえ元はこの国に住まう者だったとしても、今を生きる者を護（まも）るため、死体……アンデッドを倒さねばならない。

だが、同じ死体である亡霊騎士には、その判断ができるほどの理性が残っておらず、この国の住民であるアンデッドを攻撃できないと言うのだ。

そしてサイオンは、それを利用していると……。

その話を聞き、俺は腸（はらわた）が煮えくり返った。

……この下種が。

死者の尊厳を汚すだけでなく、武人としての誇りをも弄ぶとは……！

リーズとニャムの治療をある程度終えると、俺は立ち上がり、亡霊騎士の下に向かう。

すると亡霊騎士は、迫り来るアンデッドを相手に、傷つけないよう、ひたすら逃げ続けていた。

そして――。

「――『覇天掌』ッ！」

掌底をアンデッドたちに放つと、亡霊騎士に迫っていたアンデッドは一瞬で消し飛んだ。

「なっ!? て、テメェ！　また俺の邪魔を……！」

喚き散らすサイオンを前に、俺は湧き上がる激情を抑え込む。

……冷静になれ。怒りは判断を鈍らせる。

それは、テンリン師匠から教わったことの一つだった。

怒りは大きな原動力になるが、それに飲まれれば、すべてを失う。

故に、怒りを支配できる精神力が必要なのだ。

俺は気持ちを落ち着けると、亡霊騎士の隣に並び立つ。

「――【剣聖】殿。貴方の尊厳は、私が守りましょう。ですからどうか、貴方は気にせず、前にお進みください」

『……』

俺の言葉が伝わったのかは分からない。

しかし、亡霊騎士は俺の言葉を聞き終えると、サイオンに向かって凄まじい勢いで迫っていった。

すると、そんな亡霊騎士の動きを読んでいたかのように、サイオンが声を上げる。

「何度も何度も、馬鹿の一つ覚えかよ！　おら、止まれ！　『餓亡』！」

先ほどとは異なる、不気味な魔法を唱えるサイオン。

すると、サイオンを中心にアンデッドが現れ、そのアンデッドは飢えた獣のように、亡霊騎士へと襲い掛かった。

だが……。

「ハアッ！」

俺は亡霊騎士とサイオンの前に躍り出て、向かい来るアンデッドたちをすべて殲滅していった。

「なっ⁉」

「――――【剣聖】殿！」

『ッ！』

「ひっ！　ま、待て……！」

サイオンが狼狽え、その場に尻もちをつくが、もはや亡霊騎士を止める者はいない。

そして――。

「く、来るな。来るんじゃねぇ！　やめろ……やめ――」

『――！』

亡霊騎士は、サイオンの首をはね飛ばした。

首を失い、フラフラとよろめくサイオンの体。

その数瞬後、サイオンの首から血飛沫が噴き上がると、そのまま倒れ伏した。

「た、倒したの？」

戦いの結末を見届けたリーズが、小さくそう呟く。

その瞬間、王都中で感じられていたアンデッドの気配が、次々と消えていくのを感じた。

「――サイオンはどこだ⁉」

するとちょうど、ガディアンさんが、兵士たちを引き連れてやって来た。

そして、亡霊騎士の前で倒れているサイオンを見て、目を見開いた。

「そ、そこにいるのは……」

「……彼が、サイオンを倒しました」

「あ……」

俺が亡霊騎士を見ながらそう言うと、ガディアンさんは亡霊騎士を見つめる。

こうして今回の騒動は終結した——かのように思えた。

「ッ⁉」

突如、俺は背筋の凍るような魔力の気配を感じ取った。

慌ててその気配に目を向けると、そこには首を失ったサイオンの死体があった。

まさか、この魔力は……！

確実にサイオンは死んでいる。

そんなサイオンの死体から……なんと、魔族の魔力が溢れ出てきたのだ。

「な、何だ？」

「何が起きている⁉」

さすがの兵士たちも、この異変を感じ取り、全員が警戒した様子を見せた。

すると次の瞬間、サイオンの死体……否、その懐から、一冊の本が飛び出し、宙へと浮かび上がったのだ。

「あれは……」

誰もがその光景に目を奪われていると、本は不気味な黒い魔力を放ち始める。

まさか、魔族の魔力の正体は、サイオンではなく、あの本か……！

その瞬間、消えていったはずのアンデッドの気配が再び現れ、なんと宙に浮かぶ本に吸い込まれるように、どんどん集まって来たのだ。

「な、何だ、何が起きている⁉」

『！』

咄嗟に亡霊騎士が動き、鋭い一閃を放つが、特殊な魔力による防護膜が展開されており、その防御を破ることはできず、本は無傷のままだった。

「何か不吉な予感がする……皆、あの本に向かって攻撃せよ！」

『はっ！』

亡霊騎士に続く形で、ガディアンさんの命令を受けた兵士たちが魔法を唱え、本に攻撃を加えていく。

しかし、やはり本は無傷のままだった。

「せああああああああ！」

そこにガディアンさんも斬り掛かるが、やはり本の防護膜を突破することはできない。

そんな光景を前に、リーズが悔しそうに口を開いた。

「くっ……私の魔力さえ回復していれば……！」

確かにリーズの魔法なら、あの防御を破ることができるかもしれない。

しかし、サイオンとの戦いで魔力を使い果たしたリーズは、全力で魔力の回復に努めているものの、せいぜい二節の魔法を発動するのに精一杯な魔力量しか未だ回復していなかった。

すると、次々とアンデッドを吸収していった本は、急激に輝き始める。

その光は、レストラルで戦った魔族が、魔力を暴走させた時と似ていた。

「この光……まさか、この地を吹き飛ばすつもりか⁉」

ガディアンさんも本に何が起きているのか把握したようで、目を見開く。

「ハアアアアアアアアッ！」

俺も必死に攻撃を加えるが、やはり本の防護膜を突破することができない。

しかも、その本からは、レストラルで戦った魔族以上の魔力が感じ取れた。

このままいけば、この王都どころか、下手をすれば王国そのものが更地になるだろう。

俺は、本の終点を見抜いていた。

だが、その本を護る防御を突破することができないのだ。

防護膜には終点がない。

これは、レストラルの魔族の完全防御形態と同じだ。

本体の終点は視えても、それを護る物の終点が視えないのだ。

とはいえ、終点がなくとも、すべての物には終わりが存在する。

事実、レストラルの魔族の防御形態も破ることができた。

つまり、レストラルの魔族の防御形態や、この防護膜は、凄まじい防御力を誇るだけで、突破は可能なのだ。

……しかし、その防御を突破する術が、俺にはない。

これでは、レストラルの時と同じだ。

否、この防護膜の防御力は……あの魔族の完全防御形態以上だろう。

今の俺の実力では、たとえ『降神一刀』を放っても、この防御を突破できる自信がなかった。何より、あの技を放つためには集中する時間が必要であり、今そんな時間はない。

どうする……どうすればいい……！　この防護膜を突破するには――――。

そこまで考えたところで、俺は不意に頭の中で何かがハマるのを感じた。

――今の俺には何がある？

【覇天拳】、【降神一刀流】……そして……【大廻槍法】だ。

【覇天拳】でも【降神一刀流】でも【大廻槍法】でもダメなら……それらを合わせたらどうなる？

そんな考えに至った俺は、自然と拳を構えていた。

「刀真？」

その姿に、リーズが怪訝そうな表情を浮かべる。

すると、いつの間にかガディアンさんたちを含めて、周囲の者たちが俺の変化を感じ取り、息を呑んだ。

――想像するのは、すべてを貫く拳。

どんな防御でさえ、この拳の前では意味をなさない。

俺は力強く一歩を踏み出すと、自然とその名を口にしていた。

「――『天廻拳』ッ！」

【覇天拳】に【大廻槍法】の『螺旋』の神髄が加わった一拳。

空気の終点をすべて穿ち、さらに拳は螺旋を描くと、その威力はどんどん中心へと集まっていく。

そして――――。

「はああああああああああああああっ！」

気迫と共に放たれた俺の一撃は――――防護膜を貫いた。

そのまま俺の拳は本に届くと、ついにその終点を穿つ。

終点を穿たれた本は、ひと際激しい光を放つが、終点を穿たれたことで魔力の暴走も強制的に終わりへと向かう。

そして、魔力の暴走を止められた本は、そのまま自壊するように崩れ去っていった。

――こうしてついに、王都の騒動は幕を下ろしたのだった。

第七章

「！」

ルファスは、己が仕掛けていた計画の一部の力が消えたことを感じ取った。

「まさか……本の仕掛けが作動したのか？」

それはまさに、サイオンが所持していた本のことで、もしこの本が明るみに出た際、魔族の痕跡を消すため、その土地もろとも吹き飛ばすだけの魔力を込めていたのだ。

「ということは、必ず大きな騒ぎになっているはず……」

しかし、【正界】の各地に散らばる魔族から、特に連絡はなかった。

それはつまり……。

「……何者かによって阻止された、か」

ルファスは忌々し気に顔を歪めた。

「……つまり、我らの存在は確実に明るみに出たというわけだ」

今まで、ルファスを含む魔族は、とある【大業】に向けて、動いていた。

その【大業】を達成するためにも、ひたすらに身を隠し、裏で着実に計画を進めてきたのだ。

だがここにきて、その計画に大きな支障が出てしまった。

「クソッ……！」

ルファスは机を叩くと、その机は木端微塵に弾け飛ぶ。

荒ぶる感情を必死に落ち着けると、ルファスの顔から表情が抜け落ちる。

「……もはや、我らの存在が明るみに出たのであれば仕方がない。幸い、ある程度の計画は完了した。ならば、ここからは表舞台に上がろうではないか」

そう呟くと、ルファスは新たな指示を出すため、魔族に召集の連絡をかけた。

——潜んでいた悪意が、顔を覗かせ始めるのだった。

＊＊＊

「終わったのか……？」

「やった……やったぞ……！」

「街を護れたぞ！」

『うおおおおお！』

完全に脅威が去ったことで、兵士たちは歓声を上げた。

すると、兵士たちが俺の首に腕を回してくる。

「お前、すげぇな！」

「何だよ、あの一撃！」

「え、えっと……」

いきなりのことで戸惑ったが……少し前の俺は、兵士さんたちにとって、敵だと思われていたはずだ。

だが、今の兵士さんたちからは、そんな様子は感じ取れない。

すると、すべてを見届けていた亡霊騎士に異変が訪れる。

「あ……」

なんと、今まで亡霊騎士を覆っていた黒い靄が晴れ、中から立派な白銀の鎧を身に纏う、一人の騎士が現れたのだ。

そして、騎士がその甲冑の兜を脱ぐと、中から金髪碧眼の美丈夫が現れた。

そんな騎士の姿を前に、兵士さんたちは呆然とした表情を浮かべる。

それは、この国に住む者……ましてや、アールスト王国剣術を修める兵士であるなら、仕方のないことだった。

するとすぐに騎士の正体に気づいたガディアンさんが、震えながら声を発する。

「あ、貴方(あなた)は……貴方様は……！」

『……』

「！」

その瞬間、騎士――【初代剣聖】クラウゼン・ボルトが、静かに剣をガディアンさんへと向けた。

クラウゼン様の行動に一瞬呆(ほう)けた表情を浮かべるガディアンさんだったが、すぐにクラウゼン様の意図に気づき、剣を構える。

「……」

『……』

両者剣を構えると、ガディアンさんがクラウゼン様に斬り掛かった。

「はあああああああああああ！」

今のガディアンさんが出せる、最高の一撃。

どこまでも愚直で、真っすぐな剣だ。

そんな剣を、クラウゼン様は静かに見つめる。

そして――。

「……参りました」

勝負は、一瞬だった。

クラウゼン様は、ガディアンさんの攻撃を弾くと、そのままアールスト王国剣術の基礎的な動きで、ガディアンさんの首元に剣を突き付けたのだ。

二人の戦いを見て、副団長であるアルフォスさん含めて、兵士たちは息を呑む。

確かに、クラウゼン様は【初代剣聖】だ。

しかし、ガディアンさんもまた、【剣聖】である。

故に、兵士たちは、心のどこかでガディアンさんなら勝てると思っていたのだ。

だが、結果は見ての通り。

「手合わせ、ありがとうございました」

すると、ガディアンさんはクラウゼン様に頭を下げ、自嘲する。

「……やはり私には、剣の才能はなかったようです」

「そんな⁉」

「そんなはずありません！　団長は誰よりも努力していたではないですか！」

するとと、ガディアンさんの言葉を聞いた兵士たちが、次々と口を開いた。

しかし、ガディアンさんは静かに首を振る。

「いいや、俺に才能はない。クラウゼン様と俺は、同じアールスト王国剣術を使った。だが、結果はこの通りだ。もし俺にクラウゼン様ほどの力があれば、剣天聖覇祭でも無様を晒すことはなかっただろう。何より、俺が勝てなかったのは剣術のせいだと……一瞬でも考えてしまったのだ」

「団長……」

ガディアンさんはそう語ると、再びクラウゼン様に頭を下げる。

「クラウゼン様。貴方様の剣を疑ったこと、お許しください。私には、【剣聖】の資格はありません」

『……』

そんなガディアンさんを黙って見つめるクラウゼン様。

すると、クラウゼン様がゆっくりと口を開いた。

『――よく聴くがいい』

「⁉」

まさか、言葉を発することができるとは思わず俺が驚いていると、なんと、周囲の兵士たちや、リーズには、クラウゼン様の声が聴こえていなかった。

どうやらクラウゼン様は、テンリン師匠のように声に特殊な魔力を織り交ぜ、特定の人物にのみ、声が届くようにしていたのだ。

当然、話しかけられたガディアンさんには聴こえているようで、俺と同じようにクラウゼン様の声を聴いて驚いている。

だが、ガディアンさんがクラウゼン様の声を聴けるのは分かるが、どうして俺も……？

困惑する中、クラウゼン様は続けた。

『我が剣の神髄……それは、【普遍】である。誰もが我が剣術を学び、身に付けることができる。それは知っているな？』

「……はい」

『ならば、扱う得物が剣である以上、他の流派だろうが、すべての動きは同じ結果に行き着く。これもまた、【普遍】である』

「！」

クラウゼン様の言葉を聞いて、ガディアンさんはハッとした表情を浮かべた。

「すべては、同じ……」

『そうだ。そして、我が剣は――【不変】でもある』

「⁉」

『剣が武器である以上、どんな者が剣を振るおうとも、誰かを傷つけることは【不変】である。そして、あらゆる流派の基礎もまた、【不変】なのだ』

「あ……」

『我が剣の神髄は――【普遍】であり、【不変】なり。それをしかと心に刻め！』

「――」

その瞬間、ガディアンさんの気配が変わったのを、俺は感じ取った。

これは……【神髄】に至った者特有の気配だ。

どうやらその気配の変化に、アルフォスさんも気づいたようで、目を見開いている。

「だ、団長……！」

「俺は……俺が、アールスト王国剣術の【神髄】を……」

呆然と自身の体を見下ろすガディアンさんに対し、クラウゼン様は優しく微笑(ほほえ)んだ。

『其方の働きに、期待しているぞ――【剣聖】よ』

「っ！　ハッ！」

ガディアンさんは涙を堪えながら、頭を下げた。

その様子を見守っていると、不意にクラウゼン様の視線が俺に向く。

『そして……異国の武人よ。其方には助けられたな』

「いえ、当然のことをしたまでです。ですが、どうして俺にも声を……？」

『私の手助けをしてくれた其方への、せめてもの礼だ。まあ其方ほどの武人であれば、私が教えずとも、いずれこの【神髄】には辿り着いたであろうがな』

武術の【神髄】は、口で説明されたからと言って、簡単に至れるものではない。

その【神髄】を真に理解し、体に落とし込むことで、初めて到達することができるのだ。

こうして【神髄】に至ることを、【悟る】と表現することもある。

そんな中、間違いなくクラウゼン様の言葉は、俺の中で新たな【神髄】として、根付いた。

「……いえ、とんでもございません。ご指導、ありがとうございました」

だからこそ、俺は感謝の念を込めて、頭を下げる。

すると、クラウゼン様は満足げに頷いた。

そして……。

『フム……時間だな』

「あ……」

よく見ると、クラウゼン様の体が透け始めていた。

そんな自身の体を見下ろしたクラウゼン様は、改めてガディアンさんたちを見渡す。

『これからも、其方(そなた)らの力で、この国を守ってくれ』

「……必ずや」

ガディアンさんを含め、全兵士たちが、神妙な顔で頷いた。

その様子にクラウゼン様は笑みを浮かべると、そのまま静かに消えていくのだった。

＊＊＊

こうして、王都の事件から数日。

俺たちはニャムの泊まっている部屋に、見舞いに来ていた。

すると……。

「ん……ぁ……」

「ニャム！」

ずっと気を失っていたニャムが、ついに目を覚ましたのだ。

ニャムはしばらく朧気な様子だったが、徐々に意識が回復していく。

「あれ……ウチは確か……」

「ニャム！　大丈夫⁉」

「り、リーズっち？」

リーズは急いで駆け寄ると、ニャムの体をすごい勢いで確かめる。

今まで仲間というものを遠ざけてきたリーズだからこそ、人一倍仲間の身を案じているんだろうな。

そんなリーズの様子にニャムが戸惑っている中、俺が声をかけた。

「リーズ。まだニャムは目覚めたばかりだ。そう勢いよく迫られても困るだろう」

「あ……ご、ごめんなさい」

「う、ううん。それはいいんだけど……えっと……」

「何が起きたのか、覚えてるか？」

「……あ、そうだ！　ウチらはサイオンと戦ってて、それでリーズっちが危なくなって……」

「そうよ。それで、ニャムが私を助けてくれたのよ」

「ええ。いきなり様子が変わって、ビックリしたんだから。でもあれが、【神獣覚醒】だって今なら分かるわ」

「う、嘘……出来損ないのウチが、本当に【神獣覚醒】を……？」

リーズの言葉が信じられず、呆然とするニャム。

今までニャムだけが、兄妹の中で【神獣覚醒】できず、家族から出来損ないという扱いを受けてきたのだ。

しかし、ニャムが【神獣覚醒】したのは間違いないだろう。

というのも……。

「ニャム。少し触れるぞ」

「え？」

俺はニャムの服をめくり、背に手を当て、俺の魔力をゆっくり流し込む。

「んにゃ⁉」

「ちょ、ちょっと⁉」

俺の行動にリーズたちは驚いているが、俺は集中してニャムの魔力の様子を診ていった。

……うむ、やはりな。

「え⁉ う、ウチが？」

初めてニャムと出会った時、俺はニャムの魔力に何らかの力を感じていた。

だが、その力は奥底に秘められており、それが何なのかを確認することはできなかった。

しかし、ニャムが【神獣覚醒】したことで、その力が解放されたのだ。

つまり、あの奥に秘められていた力こそが、ニャムの魔力に流れる神獣の力なのだろう。

ただ……もう一つ、ニャムの魔力には何かが隠されている。

それは、どうやら今回の【神獣覚醒】では解放されていなかった。

果たして、残るこの力は一体……。

「ん、あ、ちょ……と、刀真(とうま)っち……！」

「いい加減にしなさいッ！」

「っ!?」

ニャムの魔力を診ていると、不意に後頭部に衝撃が走る。

その衝撃で正気に返った俺は、ニャムの魔力の治療を終えた。

「な、何だ？」

「何だ、じゃないわよ！　いきなり何してるのよ!?」

「と、刀真っち……いくら何でも大胆すぎるでしょ……」

すると、何故(なぜ)か怒っているリーズと、顔を赤くして、自身の体を抱いているニャムが、俺を睨んでいた。

「一体、何の話だ？　俺はニャムの魔脈の様子を診ていただけだが……」

「だ、だとしても、いきなり服をめくることはないでしょ!?　ちゃんと説明はしなさいよ！」

「す、すまない」

確かに、触れると告げはしたが、服をめくるとは言ってなかったな。

それに、今回はただ、魔力の流れを確認するために軽く俺の魔力を流しただけなので、危険は何もないのだが……説明なしでやられれば、驚くのも無理はない。

「次からはちゃんと説明しよう」

「……ねぇ、リーズっち。もしかして、刀真っちって、いつもこうなの？」

「……そうね」

何だか呆れたような視線を向けられる俺。うぅむ……何か間違えただろうか？

「それで？　いきなりニャムの魔脈を確認してどうしたのよ？」

「いや、あの場でニャムの魔脈は治療したが、その後の経過を確認したくてな。それと、ニャムの中に眠る力についても……」

「う、ウチの？」

「そうだ。リーズも言っていたが、ニャムの魔力に秘められていた力が解放されている。恐らくその力こそ、ニャムの神獣の力だろう」

「そ、それじゃあ、本当にウチが【神獣覚醒】を……」

俺の言葉を受け、ニャムは噛みしめるように呟いた。

「ただ、ニャムの魔力にはもう一つ力が眠っている」

「え⁉」

「まだ何かあるの？」

やはりニャムも気づいていないようで、目を見開く。

「ああ。残念ながら、その力が何なのかまでは分からないが……」

「ニャム、すごいじゃない！」

リーズはそう口にするが、ニャムは戸惑いの表情を浮かべていた。

「う、うん。でも、いきなり力が秘められてるって言われても……それに、まだ【神獣覚醒】したことも実感できていないのに……」

「ちなみにだが、【神獣覚醒】は自分の意思で発動できるのか？」

「ちょっと待ってて」

ニャムは目を閉じると、自身の魔力に集中する。

しばらくの間、ニャムが自身の魔力と向き合っていると、少しして目を開いた。

「……うん、一応は……ただ、ちゃんと制御できるかは分からないけど……」

「それは、今後の修行次第でどうとでもなるだろう。何にせよ、おめでとう」

「あ、ありがとう」

俺の言葉に、ニャムは嬉しそうに笑った。

すると、ふとニャムが思い出す。

「そういえば、ウチが眠っている間、街はどうなったの？」

「ああ……今は国を挙げて復興中だ」

「私たちを含め、ギルドの冒険者たちも手伝ってるところよ」

現在、街では復興活動が行われ、徐々にいつもの日常を取り戻し始めていた。

だが、今回の事件により、多くの人々が酷く傷ついた。

自身の親しい者が死に、アンデッドとなって襲い掛かって来たのだ。そう簡単に心の傷は癒えない。

それでも、冒険者ギルドやガディアンさんを含めた兵士たちが必死に動くことで、皆が前を向き始めていた。

こうして俺たちが近況報告をしていると、不意に扉を叩く音がする。

「えっと……？」

「誰かしら？」

「この気配は……」

突然の訪問に驚く中、俺はやって来た人物の気配を読み取る。

ひとまずニャムが入室を許可すると、入ってきたのは……ガディアンさんだった。

「え、が、ガディアンさん⁉」

予想外の人物の来訪に、驚くニャムたち。

特に俺は、直接ガディアンさんたちと戦い、敵としての扱いを受けていた。

しかし、完全に誤解が解けた俺は、ガディアンさんを含む兵士や、冒険者たちから謝罪を受けていたのだ。

俺としては、あの状況では疑われても仕方がないと思っていたため、さほど気にしてもおらず、その謝罪を受け入れていた。

そこからは特に関わりもなく過ごしていたのだが……何の用だろうか？

リーズやニャムに視線を向けるも、二人とも身に覚えがないらしく、首を傾げていた。

「一体、どうしたんですか？」

「実は、刀真殿たちを招待しに参ったのだ」

「招待、ですか？」

何のことか分からずに首を傾げると、ガディアンさんは続ける。

「ああ――陛下が、君たちと会いたいらしくてね」

「……え？」

予想外の言葉に、固まる俺たち。

「そ、それはどういう……？」

「そのままの意味だ。今回の件、間違いなく一番の功労者は君たちだ。故に、陛下から褒美(ほうび)をもらう資格がある」

「そんなことは……」

「それに、サイオンが豹変(ひょうへん)した理由や――あの本のことについても、色々判明したのでな」

「！」

ドゥエル師匠の話では、サイオンは元々あんな性格ではなかったらしく、ここ二、三年の間で変わったらしい。

何より問題なのは、サイオンの持っていたあの本だ。

あの本からは、確実に魔族の魔力が感じられた。もし本の魔力暴走を防げなければ、この王都は消し飛んでいただろう。

……今思えば、あの暴走は本の存在が明るみに出た際の仕掛けだったのかもしれないな。

「ともかく、君たちとしっかり話がしたい。王城に来てくれるだろうか？」

「……はい」

俺たちは顔を見合わせると、頷く。

――こうして俺たちは、暗躍する魔族に近づいていくのだった。

あとがき

こちらの作品をお手に取っていただき、ありがとうございます。

作者の美紅です。

有難いことに、皆様のおかげで、こうして二巻目を出させていただくことができました。

そんな今巻ですが、現在、刀真たちが滞在しているアールスト王国の伝説的な存在である【剣聖】が大きく関わってくる話になっております。

また、それに伴い、百獣帝や【七大天聖】など、この世界における強者たちも続々と登場しました。

さらに、魔族の新たな動きなど、徐々にこの世界が広がりを見せ始め、楽しくなってきたのかなと思っています。

何より、新たな仲間として、ニャムが登場しました。

まだまだ秘密の多いニャムですが、これからどう活躍していくのか、楽しみにしていただけると幸いです。

また、今年の五月から本作のコミカライズも始まります。作画を担当してくださるのは、木友（きとも）先生です。

とても迫力のあるシーンが満載なので、こちらもぜひお楽しみに。

担当編集者様。いつも大変お世話になっております。

かかげ様。今回もまた、非常に美麗な筆致で、ニャムも可愛（かわい）く描いていただき、ありがとうございました。

そして、この作品を読んでくださった読者の皆様。

本当にありがとうございます。

これからも、この作品を楽しんでいただけると幸いです。

それでは、また。

美紅

武神伝 生贄に捧げられた俺は、神に拾われ武を極める2

令和6年3月20日　初版発行

著者――美紅

発行者――山下直久

発　行――株式会社KADOKAWA
〒102-8177
東京都千代田区富士見2-13-3
0570-002-301（ナビダイヤル）

印刷所――株式会社暁印刷

製本所――本間製本株式会社

※定価はカバーに表示してあります。
●お問い合わせ
https://www.kadokawa.co.jp/（「お問い合わせ」へお進みください）
※内容によっては、お答えできない場合があります。
※サポートは日本国内のみとさせていただきます。
※Japanese text only

ISBN978-4-04-075340-9　C0193　◇◇◇

この少年すべてが
天上優夜
てんじょうゆうや
異世界で
レベルアップした結果、
最強の身体能力を
手に入れた少年
シリーズ好評発売中！

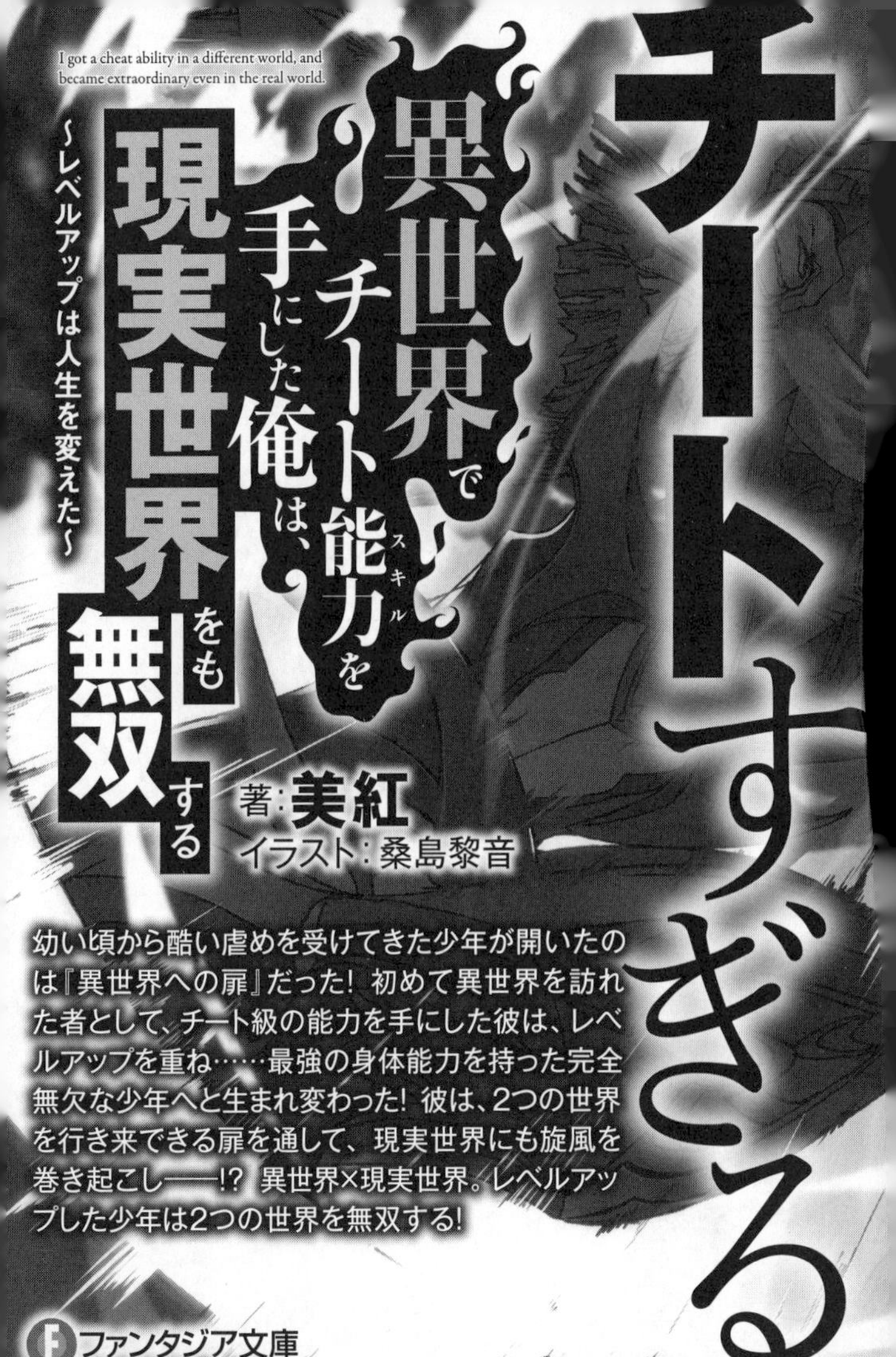
チートすぎる
異世界でチート能力を手にした俺は、現実世界をも無双する
~レベルアップは人生を変えた~
I got a cheat ability in a different world, and became extraordinary even in the real world.
著：美紅
イラスト：桑島黎音
幼い頃から酷い虐めを受けてきた少年が開いたのは『異世界への扉』だった！ 初めて異世界を訪れた者として、チート級の能力を手にした彼は、レベルアップを重ね……最強の身体能力を持った完全無欠な少年へと生まれ変わった！ 彼は、2つの世界を行き来できる扉を通して、現実世界にも旋風を巻き起こし――!? 異世界×現実世界。レベルアップした少年は2つの世界を無双する！
ファンタジア文庫